"读原著·学原文·悟原理"丛书

《国民经济学批判大纲》《英国工人阶级状况》这样学

孙熙国 张梧 主编

何娟 著

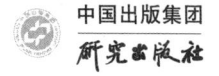

中国出版集团
研究出版社

图书在版编目 (CIP) 数据

《国民经济学批判大纲》《英国工人阶级状况》这样学 / 何娟著. -- 北京：研究出版社，2022.4
ISBN 978-7-5199-1229-1

Ⅰ.①国… Ⅱ.①何… Ⅲ.①《国民经济学批判大纲》- 恩格斯著作研究②《英国工人阶级状况》- 恩格斯著作研究 Ⅳ.①A811.26②A811.24

中国版本图书馆CIP数据核字(2022)第049716号

出 品 人：赵卜慧
出版统筹：张高里　丁　波
责任编辑：范存刚　朱唯唯

《国民经济学批判大纲》《英国工人阶级状况》这样学
GUOMIN JINGJIXUE PIPAN DAGANG YINGGUO GONGREN
JIEJI ZHUANGKUANG ZHEYANGXUE

何娟 著

研究出版社 出版发行

（100006　北京市东城区灯市口大街100号华腾商务楼）
北京中科印刷有限公司印刷　新华书店经销
2022年4月第1版　2023年1月第3次印刷
开本：787毫米×1092毫米　1/32　印张：4
字数：52千字
ISBN 978-7-5199-1229-1　定价：29.80元
电话（010）64217619　64217612（发行部）

版权所有·侵权必究
凡购买本社图书，如有印制质量问题，我社负责调换。

"读原著·学原文·悟原理"丛书编委会

编委会主任：

孙熙国　孙蚌珠　孙代尧　张　梧

编委（以姓氏笔画为序）：

王　蔚　王继华　田　曦　任　远

孙代尧　孙蚌珠　孙熙国　朱　红

朱正平　吴　波　李　洁　何　娟

汪　越　张　梧　张　晶　张　懿

余志利　张艳萍　易佳乐　房静雅

金德楠　侯春兰　姚景谦　梅沙白

曹金龙　韩致宁

编委会主任

孙熙国，北京大学马克思主义学院教授、博导，北京大学习近平新时代中国特色社会主义思想研究院常务副院长，北京大学学位委员会马克思主义理论学科分会主席，国家"万人计划"教学名师，中央马克思主义理论研究和建设工程课题组首席专家，国务院学位委员会马克思主义理论学科评议组成员，教育部马克思主义理论类专业教学指导委员会副主任委员。兼任国际易学联合会会长，中国历史唯物主义学会副会长，北京市高教学会马克思主义原理研究会会长。

在《哲学研究》等刊物发表学术论文百余篇，著有《先秦哲学的意蕴》《马克思主义基本原理前沿问题研究》(第一作者)等，主编高校哲学专业统一使用重点教材《中国哲学史》，主编全国高中生统用教科书《思想政治·生活与哲学》《思想政治·哲学与文化》，获首届全国优秀教材一等奖。主持"马藏早期文献与马克思主义在中国的早期传播""马克思主义基本原理的学科对象与理论体系"等国家哲学社会科学重大项目和重点项目。

孙蚌珠,经济学博士,教授。现任北京大学马克思主义学院党委书记、习近平新时代中国特色社会主义研究院副院长。教育部高等学校思想政治理论课教学指导委员会委员总教指委主任委员、"形势与政策"和"当代世界经济和政治"分指导委员会主任委员。马克思主义研究和建设工程首席专家,国家义务教育教科书"道德与法治"编委会主任,国家统编高中思想政治教材《经济与社会》主编、国家中等职业学校思想政治教材编委会主任。中国政治经济学学会副会长、中国《资本论》研究会副会长。主要从事政治经济学、中国特色社会主义经济理论与实践研究,获得过北京市科学技术进步二等奖,是全国首届百名优秀"两课"教师、全国思想政治理论课影响力标兵人物、北京市高等学校教师名师、国家"万人计划"教学名师、享受国务院政府特殊津贴专家。

孙代尧,北京大学法学学士、硕士和博士。现任北京大学博雅特聘教授、社会科学学部学术委员和马克思主义学院学术委员会主任,《北京大学学报(哲学社会科学版)》主编。曾任马克思主义学院副院长、学位委员会主席、教育部高校思政课教学指导委员会委员。

先后入选国务院政府特殊津贴专家、中宣部全国文化名家暨"四个一批"人才、国家"万人计划"第一批哲学社会科学领军人才;担任中央马克思主义理论研究和建设工程专家、中国科学社会主义学会副会长等。

主要从事马克思主义理论、社会主义历史和理论等领域的教学和研究。担任教育部哲学社会科学研究重大课题攻关项目、国家社科基金重大项目首席专家。科研成果曾获北京市哲学社会科学优秀成果一等奖等多个奖项。

张梧,哲学博士。现为北京大学哲学系助理教授、研究员、博士生导师,中国人学学会秘书长、北京大学中国特色社会主义理论体系研究中心研究员、济宁干部政德学院"尼山学者"。主要研究方向是马克思主义哲学史、社会发展理论等。曾著有《马克思恩格斯〈德意志意识形态〉研究读本》《社会发展的全球审视》等学术专著,在《哲学研究》等核心期刊发表论文30余篇。

代序

马克思主义可以这样学

马克思主义应该怎样学？马克思主义经典著作应该怎样读？北京大学马克思主义学院以博士生的"马克思主义经典著作研读"课为抓手，进行了积极的探索，走出了一条"读原著、学原文、悟原理"的新路子，逐步形成了马克思主义理论专业人才培养的"北大模式"。

北京大学具有学习、研究和传播马克思主义的光荣传统。北京大学是中国马克思主义的发祥地，是中国共产党最早的活动基地，是中国马克思主义理论教育的诞生地。1920年，李大钊在北大开设了"唯物史观""工人的国际运动与社会主义的将来""社会主义与社会运动"等马克思主义理论课程和专题讲座，带领学生阅读马克思主义经典著作，公开讲授和宣传马克思主义。李大钊在北大所做的这些工作，与拉布里奥拉在意大利罗马大学、布哈林在苏俄红色教授学院、河上肇在日本京都帝国大学进行的马克思主义理论教学和研究工作,共同开启了马克思主义理论进入高校课堂的先河。

一百多年过去了,一代代的北大人始终把学习研究和宣传马克思主义作为自己的崇高使命,始终把马克思主义经典著作的学习研读作为教育教学的一项重要内容。2014年5月4日,习近平在北京大学师生座谈会上的讲话中指出,北京大学是新文化运动的中心和五四运动的策源地,是这段光荣历史的见证者。长期以来,北京大学广大师生始终与祖国和人民共命运、与时代和社会同前进,在各条战线上为我国革命、建设、改革事业作出了重要贡献。2018年5月2日,习近平总书记在北京大学考察时指出,北京大学是中国最早传播和研究马克思主义的地方。中国共产党的主要创始人和一些早期著名活动家,正是在北大工作或学习期间开始阅读马克思主义著作、传播马克思主义的,并推动了中国共产党的建立。这是北大的骄傲,也是北大的光荣。由此我们可以看到,北大具有学习研究和传播马克思主义的光荣传统,具有与祖国和人民共命运、与时代和社会同前进的光荣传统,具有爱国、进步、民主、科学的光荣传统。因此，如果要讲北大传统，首先就是马克思主义的传统；如果要讲北大精神，首先就是马克思主义的精神。北大学习研究和传播马克思主义的精神和传统始终与马克思主义经典著作的研读和学习紧紧结合在一起。

2018年5月2日，习近平总书记视察北大马克思主义学院时指出："高校马克思主义学院就是要坚持'马院姓马，在马言马'的鲜明导向和办学原则，为巩固马克思主义在意识形态领域的指导地位，推动马克思主义进校园、进课堂、进学生头脑，发挥应有作用。"在习近平总书记重要讲话精神的指导下，北京大学马克思主义学院逐步确立了以"埋首经典，关注现实"为基本理念、以马克思主义经典文献学习研读为重要内容的马克思主义卓越人才培养的"北大模式"。其中加强和完善"马克思主义经典著作研读"课程，并对研究生、特别是博士研究生进行马克思主义经典著作的中期考核成为北大博士生培养的一个重要环节。

北京大学马克思主义学院的学生究竟怎样学习马克思主义基本原理？怎样阅读马克思主义经典著作呢？

习近平总书记指出："学习理论最有效的办法是

读原著、学原文、悟原理。"要学好马克思主义理论，就必须要读马克思主义经典作家的原著，学马克思主义经典作家的原文，悟马克思主义基本原理。一句话，就是必须要学好马克思主义经典著作。"马克思主义经典著作"这门课一直是我国高校马克思主义学院研究生的核心课程。北大给硕士生开设的马克思主义经典著作课叫"马克思主义经典著作导读"，给博士生开设的马克思主义经典著作课叫"马克思主义经典著作研读"。我负责博士生的"马克思主义经典著作研读"课始自2010年秋季。一开始是我一个人讲，后来孙蚌珠、孙代尧老师加入进来，再后来马克思主义基本原理所、马克思主义发展史所的老师们也陆续加入到了本课程的教学和研究工作中。博士生的"马克思主义经典著作研读"课程的学习时间是一年，学习阅读的文本有30多篇。北大学习研读经典文本的基本方式是在学习某一文本之前，先由学生来做文献综述，通过文献综述把这一文本的文献概况、主要内容、学界争论的焦点问题、学者研究的基本方法和形成的基本范式梳理概括出来。呈现给读者的这套《读原著、学原文、悟原理》丛书，就是北京大学马克思主义学院2016级博士生在"马克思主义经典著作研读"课程学习过程中，在授课老师指导下围绕所学的马克思恩格斯经典文本完成的成果结集。授课教师从2016级博士生的研读成果中精选出了优秀的研究成果，经反复修改完善，以"读原著、学原文、悟原理"作为丛书书名出版。

本丛书收录了从马克思高中毕业撰写的三篇作文到恩格斯晚年撰写的《路德维希·费尔巴哈和德国古典哲学的终结》等代表性著述20余篇。这20篇著作是北京大学马克思主义学院马克思主义理论一级学科各专业和政治经济学、科学社会主义与国际共产主义运动专业博士生必修课"马克思主义经典著作研读"的必学书目。丛书作者对这20余篇著作的研究状况和研究内容的梳理、概括和总结，基本上反映了北大"马克思主义经典著作研读"课程的主要内容，展现了北大马克思主义学院博士生学习研读马克思主义经典著作的基本情况，是北大博士生阅读马克思主义经典文本、学习马克思主义基本原理的一个缩影。在某种意义上说，这些成果体现了北大马克思主义学院博士生学习马克思主义经典著作的基本方式。因此，我们可以自豪地说，马克思主义经典文本可以"这样读"，马克思主义基本原理可以"这样学"。

本书对马克思恩格斯每一时期文本的介绍和阐释主要是围绕以下四个方面的内容展开的。一是对马克思恩格斯这一文本的写作、出版和传播等主要情况的介绍和说明，二是对这一文本的主要内容的介绍和提炼，三是对国内外学者关于这一文本研究的基本方法、形成的基本范式和切入点的概括总结，四是对国内外学者在这一文本研究过程中所涉及到的一些具有争议性的问题或焦点问题的梳理和辨析。在每一章的后面，作者又较为详细地列出了该文本研究的主要参考文献，也就是关于每一个文本的代表性研究成果。本书力图从以上四个方面入手，尽可能客观全面地展示国内外学者关于马克思恩格斯这些经典文本的研究状况、研究结论和研究方法，以期对马克思主义学院师生学习、研读马克思主义经典著作提供参考和借鉴。

马克思主义理论是我们做好一切工作的看家本领，也是领导干部必须普遍掌握的工作制胜的看家本领。我们期望这套20本的"读原著、学原文、悟原理"丛书能够在这方面给大家提供一些积极的启示和有益的帮助。

孙熙国

2022.2

目 录 CONTENTS

一、文献写作概况   001

二、文献内容概要   005

三、研究范式   037

四、焦点问题   048

五、专题问题   081

一、文献写作概况

17世纪中叶,英国的资产阶级发动了革命,经过反复的斗争终于在1688年建立了君主立宪制的资产阶级民主政体,为英国资本主义的发展扫清了障碍。随后英国的资本主义发展进入了快车道。18世纪下半叶,英国发生了工业革命,资本主义由工场手工业进入机器大工业阶段。19世纪30年代到50年代,英国资本主义获得长足发展,工业产量占世界总产量的一半,被称为"世界工厂"。

在这种大背景下,1842年11月,恩格斯到其父亲英国曼彻斯特的工厂学习经商。这个时期的曼彻斯特拥有40万居民,是一个资本主义工业城市,拥有发达的工业和巨大的厂房。工厂已经开始大规模使用蒸汽和机器。与此同时,无产阶级反抗压迫的运动时有发生。在这样的环境下,在已有的理论的指引下,恩格斯开始反思这样的社会。于是,在1842年11月至1844年8月,他对这个资本主义高度发展的国家进行了深入的考察。在英国生活的21个月里，恩格斯实地考察了英国工人阶级的劳动生活状况，并且广泛收集和仔细研究了他所能接触到的各种官方资料。正是在与工人接触的过程中，在参加工人运动的实践中，恩格斯被英国工人阶级的贫困所震惊，被他们坚强的斗争所感动。为了探究这种状况产生的根源，恩格斯深入研究了关于资本主义社会和无产阶级历史的著作，特别是深度研究了英国资产阶级的政治经济学家和空想社会主义者的理论。恩格斯认真研究了英国工业革命、政党斗争、工人阶级状况、经济利益等问题，并于1843年年底，写了《国民经济学批判大纲》，发表在1844年2月的《德法年鉴》上。批判国民经济学就是批判资产阶级政治经济学，恩格斯批判了资产阶级政治经济学为资本主义私有制服务的本性，揭露了私有制的弊端。《国民经济学批判大纲》是恩格斯在曼彻斯特期间理论学习与实践活动相结合的产物。恩格斯之前在不来梅时期更多的是一个黑格尔理性主义者，之后在柏林他又接触到了青年黑格尔派，再之后又接触到了费尔巴哈的人本主义观点。而在曼彻斯特时期，他在研究资产阶级政治经济学家和空想社会主义者理论的同时，也在参与工厂实践和工人的运动，所以他能够深入地了解资产阶级政治经济学的本质，找到资本主义社会各种社会冲突和各种矛盾的根源。可以说，《国民经济学批判大纲》是恩格斯直面英国的社会现实，并在现实社会中发现和提炼思想的产物。

1844年8月，恩格斯从英国返回德国途中，在法国巴黎同马克思会面。恩格斯回到故乡巴门后，除了参与一些共产主义的集会，直到1845年3月中旬一直在整理自己在英国实地调查收集的资料，"我将给英国人编制一张绝妙的罪状表。我要向全世界控诉英国资产阶级所犯下的大量杀人、抢劫以及其他种种罪行"，并向德国的资产阶级表明，"我清清楚楚地告诉他们，他们和英国的资产阶级一样坏，只是在榨取方面不那么勇气十足、不那么彻底、不那么巧妙罢了"。[1]从而完成了《英国工人阶级状况。根据亲身观察和可靠材料》(本篇简称《英国工人阶级状况》)。《英国工人阶级状况》的德文第一版于1845年5月在莱比锡出版，之后分别出

---

[1] 《马克思恩格斯全集》第27卷，人民出版社1972年版，第11页。

过1887年的美国版本和1892年的英国版本。可以说，正是在前期材料收集和活动参与的基础上，恩格斯才整理出了这本反映英国工人阶级生活状况的著作。虽然这本著作的出版时间与《国民经济学批判大纲》相差一年多，但整体的背景是相同的，只是研究的对象不同。恩格斯在深入了解英国资本主义工业的发展史基础上，了解了工人阶级的诞生和发展的推动力。恩格斯的亲身经历和大量的数据材料为其提供了工人阶级在资本主义制度下遭受残酷压迫和剥削的悲惨线索。通过观察和参加工人运动，恩格斯进一步掌握了工人运动的产生与发展的情况，并认为社会主义革命的到来是不可避免的，工人阶级对资产阶级的反抗的运动已经兴起，英国的工人运动必须要与社会主义相结合，只有这样，才能真正赢得胜利。

《国民经济学批判大纲》和《英国工人阶级状况》均在恩格斯生前多次再版。其中，《国民经济学批判大纲》被各个版本的《马克思恩格斯全集》收录，如德文版第1卷、俄文版第一版第2卷和第二版第1卷，英文版第3卷。MEGA2第1部分第3卷出版的《国民经济学批判大纲》是迄今为止最权威的版本。《英国工人阶级状况》被收录在英文版第4卷、MEGA2第1部分第4卷。关于国内的传播情况，《国民经济学批判大纲》的第一个中译本是何思敬翻译的，1931年部分发表在广州中山大学《社会科学论丛》上。《英国工人阶级状况》的部分内容是由陈问路首先翻译的，发表在南京的《劳动季报》1935年第5期和1936年第8期上。2009年版的《马克思恩格斯文集》第1卷收录了这两篇著作，这一版本与MEGA2展现内容基本相同，是可信赖的版本。

二、文献内容概要

作为恩格斯早期的代表著作，《国民经济学批判大纲》和《英国工人阶级状况》蕴含着丰富的思想。《国民经济学批判大纲》一书共分为15小节，小节之间以"一"为分隔符。在这本著作中，恩格斯系统考察了资产阶级政治经济学的起源及其影响；剖析了资产阶级政治经济学的基本范畴，诸如：国民财富、商业、价值、生产费用、土地、资本、劳动、竞争、垄断、商业危机、人口、财产集中、道德和科学技术等；揭露了资产阶级政治经济学的阶级本质以及资本主义生产方式的各种矛盾,并指出资本主义的私有制是其一切社会矛盾的根源,只有消灭私有制,才能够消除资本主义制度的弊端。《英国工人阶级状况》一书分为序言和正文两个部分。其中序言主要有两篇:1892年德文第二版序言,以及第一版序言,并附上了《致大不列颠工人阶级》的文章。正文主要分为五个部分,主要有:导言、工业无产阶级、结果、工人运动和资产阶级对无产阶级的态度。在《英国工人阶级状况》中,恩格斯较为详细地考察了英国工业发展史和英国工人阶级运动史,在实地考察和广泛收集材料的基础上,以理性分析的笔触揭露了工人阶级的悲惨境遇,从而揭示了这种境遇内在的社会根源,并指出了工人运动的目标——社会主义。

(一)《国民经济学批判大纲》的内容概要

《国民经济学批判大纲》一书可分为三大部分,第一部分阐述了资产阶级政治经济学的产生和发展的过程及其实质,第二部分分析了资产阶级政治经济学的基本范畴,第三部分讲述了资本主义经济与道德和科学技术的关系。

1. 资产阶级政治经济学的产生与发展

在《国民经济学批判大纲》中,恩格斯首先开宗明义地指出,"国民经济学的产生是商业扩展的自然结果",进而指出国民经济学的产生意味着"一个成熟的允许欺诈的体系、一门完整的发财致富的科学代替了简单的不科学的生意经"①。这表明,资产阶级政治经济学的发展是与商业紧密联系在一起的,且重商主义与"不科学的生意经"相比,是一种进步。一开始,国民经济学的关注焦点还是停留在流通领域中的个别现象,并没有形成一整套独立的体系。而在流通领域的关注点自然会停留在"财富"这一主题,并且自然而然地将金银理解为财富,"各国像守财奴一样相互对立,双手抱住自己珍爱的钱袋,怀着妒忌心和猜疑心注视着自己的邻居。他们使用一切手段尽可能多地骗取那些与自己通商的民族的现钱,并使这些侥幸赚来的钱好好地保持在关税线以内"②,各国对于贵金属的出口都是严加管制。但是,长此以往商业的发展逐步陷入停滞,甚至会葬送商业。人们开始意识到"放

---

①② 《马克思恩格斯文集》第1卷,人民出版社2009年版,第56页。

在钱柜里的资本是死的,在流通中的资本会不断增殖"。也是在这一基础之上,重商主义体系得以建立。

商业的交流与发展掩盖了其内在的利益交换的本质,为了获得更大的利润,以前的贪财和自私被笼罩了一层相互友爱和亲善的面纱,但即便于此在商业交易的过程中也避免不了矛盾和冲突,甚至发生战争。这突出的表现在15—18世纪,欧洲各主要国家为了争夺商业霸权而在世界各地所进行的一系列的战争,其中有英国与西班牙的战争,英国与荷兰的战争等,正如恩格斯在书中所言,"贸易和掠夺一样,是以强权为基础的;人们只要认为哪些条约最有利,他们就甚至会昧着良心使用诡计或暴力强行订立这些条约"[1]。这一时期,重商主义所秉持的要点就是"贸易差额论"。他们认为在现实的贸易之中,能够最终给国家带来现金的交易才是盈利交易,因而也会更加关注贸易顺差,认为输出大于输入的差额使得国家更富裕。

伴随着重商主义所带来的战争和血腥恐怖,人

---

[1] 《马克思恩格斯文集》第1卷,人民出版社2009年版,第57页。

们对于重商主义的"贸易差额论"中体现出来的贸易保护主义进行反思,对重商主义体系开始进行批判。以亚当·斯密的《国民财富的性质和原因的研究》(简称《国富论》)为基础的自由贸易体系的国民经济学开始建立。在这里,恩格斯指出亚当·斯密为代表的国民经济学相对于重商主义来说是一个必要的进步,因为它突破了狭隘的金银财富观,开始探讨劳动在财富创造过程中的作用。但是这种经济学仍没有深入思考私有制是否具有合理性的问题。它对重商主义表示了否定,并且认为商业是各民族、各个人之间联系的纽带,并在此基础上创立了博爱理论和马尔萨斯人口理论。恩格斯指出"新近的经济学甚至不能对重商主义体系作出正确的评判,因为它本身就带有片面性,而且还受到重商主义体系的各个前提的拖累"①,也就是说国民经济学本身也是伪善和不道德的,与自由的人性相违背。不仅如此,恩格斯认为,贸易自由的捍卫者比重商主义者还要恶劣,在其背后隐藏着野蛮的观念。贸易自由者是口是心非的,而重商主义者则是前后一

---

① 《马克思恩格斯文集》第1卷,人民出版社2009年版,第59页。

致、观点单一明确的。当然,自由主义者阐述了私有制的各种规律,这些规律是真实存在的,是其做出的贡献。不过,恩格斯也深刻地指出,国民经济学所指称的"国民财富",并没有给真正的国民带来财富,更多的是为资产阶级带来了更多的财富,因此"国民财富"是一个具有极大欺骗性的词句,"英国人的'国民财富'很多,他们却是世界上最穷的民族。"[①] 在恩格斯看来,这一现象的产生是由于私有制的存在,而国民经济学的产生和发展却是以私有制为前提的,是"私经济学",所有的社会关系都是以私有制为前提的。因而要破除对于国民经济学的迷思,首要的是认清其私有制的前提。也只有在这一基础之上,对于国民经济学所阐发的各种范畴的批判才得以实现。

2. 国民经济学的基本范畴批判

在《国民经济学批判大纲》中,恩格斯以批判私有制为基础,对资产阶级国民经济学所创立的各种范畴尤其是商业、价值、资本和劳动、竞争做了重点的考察和批判,并由此揭露出以私有制为前提

---

① 《马克思恩格斯文集》第1卷,人民出版社2009年版,第60页。

的资本主义社会的诸多矛盾，进一步论证了共产主义得以产生的必然性。

恩格斯首先讨论的是商业，着重于分析自由主义经济体系下商业的伪善性及其带来的消极影响。"私有制产生的最直接的结果就是商业，及彼此交换必需品，亦即买和卖。"[①] 他认为商业是私有制条件下的产物，并且一直处于私有制的统治下。这就使得买方和卖方处于对立中。在商业活动中，双方互不信任，而且可以利用对方的无知和轻信来获得自身的最大利益，也可以向对方宣称自己商品原本没有的特性。恩格斯比较了重商主义体系和自由主义经济中商业的不同。从道德的角度而言，重商主义不隐瞒商业不道德的本质，但是自由主义经济时代背景下，人道精神和道德开始发挥作用，所以亚当·斯密就指出商业不仅仅是各民族和各个人之间产生冲突的原因，而应该是友谊和团结的纽带。但是恩格斯指出，商业具有的人道精神是一种伪善，其本质是为了获得自己的利益，实质上还是不道德的。比如，消灭小的垄断却让所有权来替自己发

---

① 《马克思恩格斯文集》第 1 卷，人民出版社 2009 年版，第 60 页。

言，使得更大的垄断不受限制；向外扩大自己的市场，从而获得更多的利益。进而，"自由主义的经济学竭力用瓦解各民族的办法使敌对情绪普遍化，使人类变成一群正因为每一个人具有与其他人相同的利益而互相吞噬的凶猛野兽"。① 就是说，自由主义经济学带来的结果是人与人之间关系变得紧张，家庭也被工厂制度破坏了。

价值是经济学关注的一个重要范畴，"商业形成的第一个范畴是价值"。② 经济学家将价值分为了抽象价值或者说是实际价值和交换价值。讨论较多的是关于实际价值本质的认识。在亚当·斯密和李嘉图看来，"生产费用"是实际价值的表现，萨伊认为"实际价值要按物品的效用来测定"。③ 在此基础上，恩格斯则认为"价值是生产费用对效用的关系。价值首先是用来决定某种物品是否应该生产，即这种物品的效用是否能抵偿生产费用。然后才谈得上运用价值来进行交换"。④ 在他看来物品的价值包含着生产费用和效用两个因素，而价值首先是用

---

① 《马克思恩格斯文集》第1卷，人民出版社2009年版，第62—63页。
②③ 《马克思恩格斯文集》第1卷，人民出版社2009年版，第63页。
④ 《马克思恩格斯文集》第1卷，人民出版社2009年版，第65页。

来衡量物品的效用能否抵偿生产费用，在此基础之上才能够进行交换。而当生产费用相当的时候，物品的效用就成为价值的决定性因素。因此，在这里价值的概念被分割了，生产费用和效用都声称自己是一个整体，为此恩格斯认为"要把这两个跛脚的定义扶正"①，借此他引入了竞争的因素。在竞争中所带来的无论是生产费用与效用的对立（萨伊的观点），抑或是效用与生产费用的对立（亚当·斯密和李嘉图的观点），都不过是以私有制为前提的国民经济学内在矛盾的反映。随后，恩格斯也分析了价值与价格的区别，私有制的一个主要规律是价格是生产费用和竞争的相互作用决定的，那么抽去竞争关系均衡和供求一致时的价格，就只剩下生产费用了，生产费用就是实际价值，就是价格的一种规定性。恩格斯进一步指出，"价值本来是原初的东西，是价格的源泉"②，而在国民经济学中却颠倒成价格决定价值，价值是价格的产物。所以资本主义社会中的关系很大程度上都是颠倒的关系。

生产费用是经济学中的基本范畴之一。生产费

---

①② 《马克思恩格斯文集》第1卷，人民出版社2009年版，第66页。

用的构成要素成为值得探讨的问题。恩格斯指出:"在经济学家看来,商品的生产费用由以下三个要素组成:生产原材料所必需的土地的地租,资本及其利润,生产和加工所需要的劳动的报酬。"① 由于资本是积累的劳动,所以实质上生产费用的构成就成为两个要素,分别为自然的土地的地租和主观的人的劳动。在主观方面,资产阶级政治经济学家忽略了劳动除了简单的肉体劳动还有精神劳动。恩格斯在这里提到了科学,认为科学对生产的发展贡献很大,所以劳动包含肉体活动和精神活动。对于自然方面的土地地租而言,李嘉图曾将地租定义为付租金的土地的收入和值得费力耕种的最坏的土地的收入之间的差额。亚当·斯密则认为地租是谋求使用土地者的竞争和可支配的土地的有限数量之间的关系。恩格斯指出了他们定义的片面性之后提出"地租是土地的收获量即自然方面(这方面又包括自然的肥力和人的耕作即改良土壤所耗费的劳动)和人的方面即竞争之间的相互关系"。② 在私有制的条件下,地租是掠夺的一种方式。撇开私有制,才能让

---

① 《马克思恩格斯文集》第 1 卷,人民出版社 2009 年版,第 67 页。
② 《马克思恩格斯文集》第 1 卷,人民出版社 2009 年版,第 69 页。

作为地租而与土地分离的土地价值回到土地本身。对于主观方面的劳动而言,资产阶级经济学家虽然承认资本是劳动的结果,但还是将两者分开。其实这也是资本主义社会真实的反映,因为私有制已经造成资本和劳动的分裂。资本在这种情况下分为原有资本和利润。劳动作为生产的主要要素,自身也分裂了,形成工资与劳动的对立。资本和劳动的分开也就将人分为资本家和工人,这种分裂正日益加剧。虽然资本和劳动是分离的,但是衡量一个产品中土地、资本和劳动各自的占比其实是困难的,比如土地出产原材料并不代表没有资本和劳动,资本需要以土地和劳动为前提,而劳动至少以土地为前提,在资本主义社会前提下,还需要以资本为前提。所以想要有一个尺度来衡量它们的占比,是困难的。不仅如此,私有制将生产的三个要素分裂开来,而且还引发了各个要素自身的分离。这就形成了一块土地与另外一块土地对立,一个资本和另一个资本对立,一个劳动力与另一个劳动力对立的局面。这就使得竞争和权力成为衡量的方式。

竞争是资产阶级经济学家的主要范畴。恩格斯首先论述了竞争与垄断的关系,竞争的对立面是垄断,竞争者肯定希望获得垄断地位,从而自己可以获得最大利益,利益又会引起垄断,所以竞争又可以转为垄断,垄断挡不住竞争的趋势且本身也会引起竞争。"竞争的矛盾在于:每个人都必定希望取得垄断地位,可是群体本身却因垄断而一定遭受损失,因此一定要排除垄断。"[1]不仅如此,竞争必须以垄断即所有权的垄断为前提,垄断一旦存在,它就是所有权。那么目前对垄断的攻击实际上就是对小的垄断的攻击来隐藏对根本的所有权的垄断。其次,恩格斯阐述了竞争的规律,需求和供给始终希望互相适应。现实是,两者从未互相适应过,供给要么大于需求要么小于需求,永远不相适应。在市场中会出现这样的情况,如果供给大于需求,价格就会下跌,需求就会增加;如果供给少于需求,价格就会上涨,供给就会增多。所以总是周而复始地发生这样不平衡的状态,而其中必然会带来周而复始的商业危机。恩格斯指出,如果不进行干预,那么每一次的商业危机必定会比前一次更普遍,因而也就更加严重,必定会使得小资本家变穷,工人阶

---

[1]《马克思恩格斯文集》第1卷,人民出版社2009年版,第73页。

级人数增多，最后必定会引发一场社会革命。再次，恩格斯指出竞争关系会带来价格的永恒波动，使得交换远离了道德基础。投机取巧的情况会屡次出现，每个人都会成为投机家。恩格斯认为这是一种不道德的行为。复次，恩格斯批判了经济学家为了解释社会发展的繁荣和危机的情况而发明的人口论。马尔萨斯认为，人口威胁着生活资料，生产的增长会带来人口同比例的增长，所以人口数量的增多是贫困和罪恶的来源，所以想要解决危机，就需要减少人口。但是，人口过剩或者劳动力过剩始终是与财富过剩、资本过剩相联系的，生产力过大才会引起人口过多。生活资料与就业手段是有区别的，"就业手段由于机器力和资本的增加而增加，这是仅就其最终结果而言；而生活资料，只要生产力稍有提高，就立刻增加"[①]。经济学家并没有认清什么是现实的需求和消费。恩格斯认为马尔萨斯的人口理论让人们看清，私有制最终使人成为商品，使得人的生产和消灭仅仅依靠需求，竞争关系使得人们的生活变得越来越糟。最后，恩格斯指出

---

① 《马克思恩格斯文集》第1卷，人民出版社2009年版，第80页。

了竞争带来的不良后果。竞争力较强的可以生存下来，但是竞争力较弱的就会被淘汰。所以就会带来财产的集中，在商业危机的时候，这种集中会更加顺利。大的财产比小的财产增长得更快，中间阶级越来越少，世界会逐渐两极分化严重。总之，在私有制下的竞争会给社会、个人带来很大的伤害。

总之，恩格斯通过对资产阶级政治经济学基本范畴的研究，通过对现实社会的考察，在肯定国民经济学一定程度上进步的同时指出了其中的缺陷。私有制的批判分析贯穿于其对基本范畴的批判分析中，揭露了资产阶级政治经济学的本质。

3. 资本主义经济与道德和科学技术的关系

资本主义经济私有制下，竞争贯穿在我们的全部生活关系中。这种竞争关系不仅造成了人们之间的相互奴役，而且还引发了社会的无序，破坏了人们的道德领域。科学也成为资本主义经济的帮凶，机器成为劳动者的竞争对手，使得大量的劳动者失业。

道德领域也遭到了私有制的破坏。恩格斯在批判国民经济学基本范畴的时候就提到了道德的基础，道德领域对其而言是一个特殊的领域，可是在犯罪率上升的情况下，不得不承认竞争也扩展到了道德领域。根据统计，犯罪行为按照特有的规律性逐年增加，工厂制度的扩展也引发了犯罪行为的增加。社会产生了犯罪的需求，那么就有相应的供给，一些人被逮捕就会有其他人来填补空缺。惩罚的手段也会随着犯罪的行为有所改变，就业的手段也会受到人口数量的威胁。人类在道德领域的发展，完全受制于私有制的发展。当然不排出存在道德领域中的伪善行为，但是真正需要关注的是底层人民的行为，是资产阶级对工人阶级的行为。

科学技术的发展也与劳动相对立。恩格斯列举了哈格里沃斯、克朗普顿和阿克莱的棉纺机的例子，这些发明的诞生是劳动力缺乏引起的。正是因为劳动力不足和对劳动力的渴望才促成这些重大发明的诞生。这些发明的产生就降低了对人的劳动的需求。但是与此同时带来的就是机器劳动逐渐取代人工劳动，使得工人失业，也会带来工人工资的降低，工人的反抗也不能达到预期的效果。当然，机器的应用不仅可以降低生产成本，也可以开拓更大的市场，可以让失业员工转移到其他的领域再就业。但是，发明是不会停滞不前的，劳动力的生产是受竞争调节的，它们会始终威胁就业手段。从一种职业到另外一种职业的转换需要一定的时间，不可能很顺利地完成。所以，资产阶级政治经济学家对这些的忽视实际上就是对资本主义私有制的维护。

（二）《英国工人阶级状况》的内容概要

1844年11月至1845年3月，恩格斯在德国巴门写就了《英国工人阶级状况》一书，该书第一版于1845年5月在莱比锡出版，第二版于1892年出版，恩格斯为该版写了序言。恩格斯在本书中阐述了英国资本主义工业和英国工人阶级的发展史，揭示了工人阶级的现实境遇及其根源，指示了英国工人阶级运动的发展方向。

1. 序言

《英国工人阶级状况》共有两个德文版的序言，第一版序言主要介绍了文本的写作目的和基本内容，恩格斯在第一版序言中指出，《英国工人阶级状况》原本是作为英国社会史的著作中的一章来论述，但由于工人阶级问题的重要性则单独写作出版。在序言中，恩格斯指出："工人阶级的状况是当代一切社会运动的真正基础和出发点，因为它是我们目前存在的社会灾难最尖锐、最露骨的表现。"①恩格斯分析了之所以以英国工人阶级状况为样板的原因，一方面是由于英国的资本主义发展最为充分，从而它的"无产阶级的状况"才具有典型的形式；另一方面也是由于恩格斯的实地观察，掌握了充分的材料和可靠的证据。与此同时，恩格斯也指出英国工人阶级状况的描述对于德国社会主义和共产主义具有重要的借鉴意义，认为虽然德国的状况还没有发展到英国那种完备的程度，但是，造成无产阶级贫困与受压迫的根本原因还是一致的，所以"揭示英国的贫困，也将推动我们去揭示我们德国的贫困，而且还会给我们一个尺度"。②不难看出，恩格斯写作此书的目的既是对英国经验的总结，指明工人运动的基本方向，也是以英国无产阶级为样本，指导其他国家的社会主义运动。

在1892年德文第二版《序言》中，恩格斯坦诚《英国工人阶级状况》一书中所描写的情况已经成为过去。资本主义的发展，已经使得资产阶级不能采用原始的欺诈手段。工人阶级的状况较之以前得到了一定的改善，资本主义生产发展本身已经足

---

① 《马克思恩格斯文集》第1卷，人民出版社2009年版，第385页。
② 《马克思恩格斯文集》第1卷，人民出版社2009年版，第386页。

以消除早年使工人命运恶化的那些小的弊病，但是恩格斯也明确指出"工人阶级处境悲惨的原因不应当到这些小的弊病中去寻找，而应当到资本主义制度本身中去寻找。"[①]强调了工人运动的最终目的还是要推翻资本主义制度。在德文第二版《序言》中，恩格斯也指出书中在哲学、经济学和政治方面的理论观点与自己现在的观点并不完全一致，甚至还有一些德国古典哲学起源的痕迹。但是，对于这一观点区别，恩格斯仍然保持着实事求是的态度，指出"我决不想把我的著作和我本人描写得比当时高明些"[②]。随即，恩格斯将他于1885年3月写就的《1845年和1885年的英国》和1892年《英国工人阶级状况》的英文版《序言》附上，以此表明其对于英国工业状况的持续关注和美国的竞争引起英国工业的危机状况预言的实现。

2.导言

在导言一节中，恩格斯描述了英国工人阶级与英国工业相互推动、相互发展的历史，这种相互关系的发展，也只有在英国，"才能够把无产阶级放

---

① 《马克思恩格斯文集》第1卷，人民出版社2009年版，第368页。
② 《马克思恩格斯文集》第1卷，人民出版社2009年版，第371页。

在他的一切关系中并从各个方面来加以研究。"①为此,恩格斯首先考察了英国工人阶级的发展,继而研究了英国工业的发展,随后引发了对于工人群体社会状况的思考。

在采用机器以前的手工业时期,工人们的生产活动是在家里进行的,而且由于他们散居在农村,工人之间还不可能发生激烈的竞争,劳动时间的支配都是相对自由的。这一时期的工人生活是颇为愉快的,"他们无须过度劳动,愿意做多少工作就做多少工作,但是仍然能够挣得所需要的东西;他们有余暇到自己的园子或田地里做些有益于健康的工作,这种工作本身对他们是一种休息;此外,他们还能够参加邻居的娱乐和游戏"②。不仅如此,由于这一时期工人阶级生活与城市完全隔离,他们在道德和智力方面和农民有着直接的联系。这一时期工业工人的生活方式和思想方法,处于"闭关自守,与世隔绝,没有精神活动,在他们的生活环境中没有激烈的波动"的状态,在这种田园牧歌式的生活方式下,工人阶级整个精神生活死气沉沉,成为

---

① 《马克思恩格斯文集》第1卷,人民出版社2009年版,第388页。
② 《马克思恩格斯文集》第1卷,人民出版社2009年版,第389页。

"一部替一直主宰着历史的少数贵族做工的机器"。如果说在手工业时期工人阶级还保有一点独立活动的自由,工业革命则剥夺了这最后一点的残余。而随着工业革命的发展,特别是机器的发明与改进,使得"机器劳动在英国工业的各主要部门战胜了手工劳动",结果导致一方面产品价格迅速下跌,并占领了一切没有实行保护关税的国外市场几乎全被占领,资本和国民财富迅速增长;另一方面是无产阶级人数的迅速增长,工人阶级失去获得生计的任何保证,其道德日益败坏。

行笔至此,恩格斯随即稍微详细地研究了英国工业的发展。恩格斯先后考察了棉纺织业、羊毛加工业、麻纺织工业和蚕丝加工业的发展状况,指出英国工业的巨大发展不仅是对于纺织业的推动,而且旋即扩展到工业活动的一切部门,"推动力一旦产生,它就扩展到工业活动的一切部门,而许多和前面提到的情况毫无联系的发明,也由于它们正好出现在工业普遍高涨的时候而获得了双倍的意义"。① 而随着机械力的运用,对于机器、燃料和

---

① 《马克思恩格斯文集》第 1 卷,人民出版社 2009 年版,第 398 页。

原料的需求与日俱增，于是矿山的开采，公路、运河、铁路和水路等交通建设规模越来越大。这种大规模集中化机器化的工业形式具有重要意义，因为它将以前分散式的生产空间——作坊变成了工厂，排挤了中间阶级中的劳动者，将他们变为工人无产者，与此同时以前的大商人变成了厂主。生产方式的变化引发了生产关系的变革，它"把居民的一切差别化为工人和资本家的对立"。工人阶级作为一个庞大的群体开始出现在历史的舞台，成为文明世界中不可忽视的重要力量。

但是，在这里恩格斯并没有过多着墨工人阶级的现实状况，只是强调了工人阶级已成为英国社会政治生活中的重大力量，对于工人阶级的利益，资产阶级还是选择了漠视，他们"把自己的特殊利益说成是真正的民族利益"，而对于工人的一切状况一无所知，而与此相对应的却是工人阶级的日益贫困。也是基于此，恩格斯指出工人阶级对富有者的愤怒必然会爆发为革命。

3. 工业无产阶级

在这一节中，恩格斯考察了英国工业无产阶级的发展历史。之所以以工业无产阶级为切入点，在恩格斯看来,"因为目前几乎整个工业无产阶级都卷入了运动,而且各个部门的状况正是由于它们都属于工业而具有许多共同的地方,所以我们先来考察这些共同点,然后再就各个部门的特点更详细地研究这些部门"。① 大工业的发展需要集中大量的资本使自然力为自己服务,进而带动了生产力大发展,特别是蒸汽力和机器装置的运用,而这也创造了工人阶级。恩格斯明确指出,"小工业创造了中间阶级,大工业创造了工人阶级"。②

工业集中化的趋势也带动了人口的集中化。因为大工业的企业要求许多工人在同一个生产空间内共同劳动,进而他们的生活空间也开始集中化,甚至一个中等规模的工厂附近就会形成村镇,进一步推动了城镇化。而随着财产集中到极点,过去的习俗和关系被彻底摧毁,正如马克思恩格斯在后来的《共产党宣言》中所鲜明刻画的那样,"资产阶级在它已经取得了统治的地方把一切封建的、宗法的和田园诗般的关系都破坏了。它无情地斩断了把人们

---

① 《马克思恩格斯文集》第1卷,人民出版社2009年版,第405页。
② 《马克思恩格斯文集》第1卷,人民出版社2009年版,第406页。

束缚于天然尊长的形形色色的封建羁绊"①。而随着过去关系消解过程，新的社会关系已经初步建构，但是在资本日益集中的条件下社会关系主要是阶级关系日益简化，"只有一个富有的阶级和一个贫穷的阶级"，而小资产阶级在这种集中化的过程中逐渐消失。

4.工人阶级的生活状况

恩格斯在"结果"一节中从身体、智力和道德等三个方面考察了英国城市的工人阶级的生活状况，揭示了工人阶级的悲惨境遇和无产阶级与资产阶级之间日益尖锐的阶级矛盾。

在资本主义条件下，工人阶级的生活资料日益匮乏，对其身体健康状况造成了严重的影响，恩格斯就将社会利用法律的铁腕强制工人阶级处于这种恶劣的生产和生活条件下的境地视为社会的"隐蔽的、阴险的谋杀"。首先是污浊的空气和水对工人阶级的身体状况造成严重的影响，"居民的肺得不到足够的氧气，结果肢体疲劳，精神委靡，生命力减退"②。其次工人阶级的住房条件也是极其恶劣的，

---

① 《马克思恩格斯文集》第2卷，人民出版社2009年版，第34页。
② 《马克思恩格斯文集》第1卷，人民出版社2009年版，第410页。

恩格斯在这里考察了工人阶级住宅的几种类型，包括：贫民窟、大杂院、小宅子等。工人阶级在自己的住宅中，常常是好几家人合住一间屋子，居住环境更脏乱不堪，恩格斯的描述也是令人印象深刻，"他们被迫把所有的废弃物和垃圾、把所有的脏水甚至还常常把令人作呕的污物和粪便倒在街上，因为他们没有任何别的办法处理这些东西。这样，他们就不得不使自己的地区变得十分肮脏"。① 不仅住宅条件恶劣，工人的穿着也是十分破旧。绝大多数工人只有粗衣烂衫，更不用奢想驱寒、避湿、预防伤寒的毛呢大衣了。在食物方面，工人们由于工资极低，只能购买便宜劣质的食物，以维系最低的生存标准，"为他们建造的房子不能使恶浊的空气流通出去。给他们穿的衣服是坏的、破烂的或不结实的。给他们吃的食物是劣质的、掺假的和难消化的"②。城市中条件最差的地区的工人住宅，和这个阶级的其他生活条件结合起来，成了百病丛生的根源。肺结核、猩红热和伤寒是发生在工人身上常见的疾病。不仅如此，这种悲惨境遇也使得工人的

---

① 《马克思恩格斯文集》第1卷，人民出版社2009年版，第410页。
② 《马克思恩格斯文集》第1卷，人民出版社2009年版，第411页。

孩子也遭受各种疾病的折磨，包括瘰疬、佝偻病，"大批工人的孩子所遭受的缺乏照顾的命运，留下了不可磨灭的痕迹，使从事劳动的整整一代人都衰弱了"。工人阶级遭受肉体上的痛楚除了生活条件恶劣，引起的另外一个结果，就是生病了不可能请高明的医生来医治。这些境况也使得工人阶级的平均寿命大大缩短。

在考察完工人的身体状况之后，恩格斯又将目光转向了工人阶级的精神状况，特别是他们受教育的情况。实际上，英国的教育设施和人口数量相比少得可怜。"工人阶级可以进的为数不多的日校，只有少数人能去就读，而且这些学校都是很差的，教师是失去工作能力的工人或者其他不堪使用的人，他们只是为了生活才来当教师，其中多数人甚至不具备最必要的基本知识，缺乏教师所应具备的道德修养，并且根本不受公众监督。"① 所谓的义务教育也是徒有其名。在政府预算中，公共教育支出仅占很小一部分。而在这时，每一个宗教派别开始成立了教会学校，以留住本教教徒的孩子，但是

---

① 《马克思恩格斯文集》第1卷，人民出版社2009年版，第423页。

在教会学校，对异教教义的驳斥成了主课程，孩子们脑子里塞满了各种无法理解的教条和神学上的奥义，从很小的时候起就激起教派的仇恨和狂热的迷信，而一切理性的、精神的和道德的教育却被严重地忽视了。

随后，恩格斯对工人阶级的道德状况进行了考察。正如英国资产阶级政府对公共教育的轻视一样，英国资产阶级为了自身的利益，为了自身的保障而把炮制出来的道德灌输给工人。恩格斯指出资产阶级运用法律手段钳制工人的步步紧逼，就像对待动物一样，运用皮鞭抽打等残忍的暴力手段来驯服工人。所以，恩格斯在这里指出工人保持着对资产阶级的愤怒，是现实情况最正常不过的反应，也是最合乎人性的反应，"只有他们对统治阶级感到愤怒，他们才是人；如果他们驯顺地让人把挽轭套在脖子上，只想把挽轭下的生活弄得比较舒适些，而不想打碎这个挽轭，那他们就真的成了牲口"[①]。所以，对于工人阶级道德的堕落不能过于苛求，特别是在资本主义社会条件下。

---

① 《马克思恩格斯文集》第 1 卷，人民出版社 2009 年版，第 428 页。

工人阶级道德颓废的一方面是由于现实的恶劣生活条件，另一方面则是工人劳动的强制性。恩格斯认为强制性劳动是"最残酷最带侮辱性的折磨"。为了生存，工人不得不工作，而且还要长时间、不间断地单调地重复这种工作。而且分工进一步加剧了工人的物化进程，"在大多数劳动部门，工人的活动都局限在琐碎的纯机械性的操作上，一分钟又一分钟地重复着，年年如此"[1]。另一方面由于技术的进步，费力的劳动为机器所代替。虽然工人的体力劳动减轻了，但是工作是极其单调的，恩格斯指出，"这种工作不让工人有精神活动的余地，并且要他投入很大的注意力，除了把工作做好，别的什么也不能想。这种强制劳动剥夺了工人的一切可支配的时间，工人只有一点时间用于吃饭和睡觉，而没有时间参加户外活动，在大自然中获得一点享受，更不用说参加精神活动了，这种工作怎能不使人沦为牲口呢！"[2]实际上，英国的工人阶级已经是遭遇一代又一代的毁掉。机器的发展也引发了工人之间的竞争，妇女和儿童也进入了产业大军，其结果就是导

---

[1]《马克思恩格斯文集》第1卷，人民出版社2009年版，第432页。
[2]《马克思恩格斯文集》第1卷，人民出版社2009年版，第433页。

致家庭的解体，女工无暇照顾孩子，工厂区的孩子事故增加起来。工人阶级及其后代几乎没有接受教育的机会，工人阶级不仅缺乏知识教育，也缺乏道德教育和宗教教育。至此，不难看出工人阶级一系列悲惨境遇的根源在于资本的逐利本性及其在此基础上建构起来的资本主义的社会经济和政治制度。

然而随着社会的阶级斗争日益分化为资产阶级和无产阶级之间的斗争，随着工人阶级的境况日益恶化，无产阶级反对资产阶级的斗争会更加激烈、残酷和不可调和。然而，吊诡的是，资产阶级对于这一现象却是无动于衷，因为他们的关注点从未离开过利益，从未离开过如何实现利益的最大化。其结果只能是导致工人阶级的强势反弹。

5. 工人运动

工人阶级所处的非人状况，使得他们为了改善自己的生活而进行反抗，而工人阶级的反抗在工业发展后的不久就已经开始，并且经历了不同的阶段。

在恩格斯看来，工人运动即工人的最早、最原始和最没有效果的反抗形式是犯罪，特别是盗窃，但是工人阶级很快发现这样做并不能彻底改变自己的境况，"罪犯只能一个人单枪匹马地以他们的偷窃行为来反对现存的社会制度;社会却能以全部权力来袭击每一个人并以巨大的优势压倒他"。①并且,违背公序良俗的盗窃行为,是一种最无教养的反抗形式,也不会赢得社会公共舆论的支持。工人阶级第一次反抗资产阶级是工人用暴力来反对使用机器的时候,这是发生在工业运动的初期。但是恩格斯指出,捣毁工厂、砸碎机器的反抗形式只是零散的,"它局限于一定的地区,并且仅仅针对现存关系的一个方面。只要工人达到了眼前的目的,社会权力就以全部力量袭击这些再度变得手无寸铁的犯罪者,随心所欲地惩罚他们,而机器还是被采用了。工人必须找到一种新的反抗形式"。②工人开始运用自由结社的权利成立工会。工会开始组织工人罢工、抗议,虽然并不总是取得有效的结果,但是这种抗议也促使工人意识的觉醒,是他们认识到要粉碎资产阶级的统治,除了成立工会和罢工,还需要采取更多的行动。工会在很大程度上加深了工人的阶级仇恨和愤懑。

在工会的活动和罢工中,这种反抗总是分散的,

---

①② 《马克思恩格斯文集》第1卷,人民出版社2009年版,第450页。

是个别工人或个别部门的工人同个别的资产者作斗争。即使斗争普遍化了，这多半也不是由于工人的自觉。但是，当工人自觉地去反抗的时候，英国宪章运动爆发了。恩格斯认为，"宪章运动是反抗资产阶级的强有力的形式"，而且也促进了工人的觉悟，而这也是工人运动的高级形式。

恩格斯详细论述了宪章运动，认为宪章运动本质上具有社会主义性质，宪章运动和社会主义接近是不可避免的，特别是当英国的空想社会主义的实践开展起来的时候。不仅如此，英国的社会主义者为无产阶级的教育做了许多事情，他们将法国的唯物主义者包括爱尔维修、狄德罗等人的著作，以普及本的形式加以传播，促进了工人的无产阶级意识的发展，使得无产阶级具备"同一切有产阶级相对立的、有自己的利益和原则、有自己的世界观的独立的阶级，在他们身上蕴蓄着民族的力量和推进民族发展的才能"，[1]为工人运动奠定了坚实的理论根基，赋予了无产阶级以理论武器，为夺取斗争的胜利指明了方向。

---

[1] 《马克思恩格斯文集》第1卷，人民出版社2009年版，第475页。

6.资产阶级对无产阶级的态度

在这一章中,恩格斯指责英国资产阶级的堕落,自私自利到不可救药的地步,而且内部腐败,无力再向前进一步。恩格斯指出,资产阶级毫不在意自己的工人是否挨饿,更为关注的是自己能否赚钱。他们的一切生活关系都以能否赚钱来衡量,因而在他们的眼中,厂主对工人的关系不是人和人的关系,而是纯粹的经济关系。他们不把工人看作人,而是其赚钱的工具。他们创办的慈善机构,不过是吸干了无产者最后一滴血,然后再对他们虚伪地施以小恩小惠,归根结底,"他们不会白白地施舍,他们把自己的施舍看做一笔买卖,他们和穷人做买卖"。[①] 因此,恩格斯指出要认清资产阶级漂亮诺言的虚伪性,只需看他们的现实实践。

恩格斯在这里更加注重资产阶级如何运用国家权力,包括立法体系以反对无产阶级。不仅如此,还在理论上为自己的剥削辩护,认为"资产阶级对无产阶级的最公开的宣战是马尔萨斯的人口论"。由此理论所衍生的新济贫法也是无法从根本上消除

---

① 《马克思恩格斯文集》第1卷,人民出版社2009年版,第479页。

资本主义社会的贫困，认为新济贫法的规定在实质上是把穷人当作犯人，把收养穷人的习艺所当作惩治犯人的监狱，因为在这里穷人所受到的待遇与犯人无异，如果穷人死了，也是像埋死牲畜一样草草了事。在整个的社会措施中，资产阶级作为一个政权出现，对无产阶级采取卑鄙的行为。

最后，恩格斯总结了资产阶级的前途，指出"随着小资产阶级的不断破产，随着资本迅速向少数人手里集中，无产阶级的人数将按照几何级数增长，使整个民族，除了少数百万富翁，很快都成为无产阶级。但是，在这种发展的进程中必将有这样一个阶段到来，那时无产阶级将看到，他们要推翻现存的社会权力是多么容易，于是革命就跟着到来了"①。而这次将是以往任何一次革命所不能比的，被逼到绝境的无产阶级的革命战争将是迄今为止发生的一切战争中流血最多的一次战争。这一革命的前途就是共产主义。恩格斯在这里指出，无产阶级所接受的社会主义和共产主义的思想越多，革命中的流血、报复和残酷性就越少。这意味着有着先进

---

① 《马克思恩格斯文集》第1卷，人民出版社2009年版，第496页。

理论为指导的无产阶级在反对资产阶级的斗争中，野蛮和粗暴的行为将较少发生，愤怒的理性也将焕发为理性的愤怒。最后，恩格斯总结道："现在已经个别地、间接地进行的穷人反对富人的战争，将在英国成为普遍的、全面的和直接的战争。要想和平解决已经太晚了。阶级分化日益尖锐，反抗精神日益深入工人的心中，愤怒在加剧，个别的游击式的小冲突正在汇集成大规模的战斗和示威，不久的将来，一个小小的推动力就足以引起山崩地裂。"[1] 随着社会主义与工人运动的结合，工人阶级的政治斗争才能够赢得胜利，工人阶级也才能够真正担负起改造社会的重任。

三、研究范式

关于《大纲》和《英国工人阶级状况》的研究，由于研究重点不同，学界展现出不同的研究风格、研究旨趣和研究范式。这主要体现在以政治经济学为视角的苏联学者的研究范式，以恩格斯传记为中心的西方马克思主义学者的研究范式，以历史

---

[1] 《马克思恩格斯文集》第 1 卷，人民出版社 2009 年版，第 498 页。

观为切入点的日本范式,以及以文本为中心的中国范式。

(一)苏联学者的研究范式

苏联学者对于《大纲》和《状况》的研究,主要集中于这两本著作在马克思主义政治经济学上的地位与意义。马雷什认为,"《政治经济学批判大纲》是马克思主义政治经济学整座大厦的一块巨大的和非常坚实的石块。它是马克思和恩格斯在其所实行的经济科学革命变革道路上所迈出的坚定的第一步"。① 同时他也指出了《大纲》的不足,"恩格斯在自己的文章中没有区分出资产阶级政治经济学的古典学派和庸俗学派。他还不清楚古典作家和庸俗作家之间的根本的、原则性的区别。他把他们通常混为一谈。此时,恩格斯尚未认清劳动价值论的科学意义。这就是《政治经济学批判大纲》的最主要的弱点之一"②。根据对《状况》的理解,马雷什认为"恩格斯在自己的书中,从工人阶级的角度

---

① [苏]阿·伊·马雷什:《马克思主义政治经济学的形成》,刘品大译,四川人民出版社1983年版,第66页。
② [苏]阿·伊·马雷什:《马克思主义政治经济学的形成》,刘品大译,四川人民出版社1983年版,第65页。

出发，对英国工业生产中采用机器的后果作了详细的分析。在这一方面，他的著作可以称得上是《资本论》有关篇章的引言。同样，也可以在某种意义上把《资本论》在这一方面的内容特别是其中第一卷《工作日》、《机器和大工业》那几章看作是《英国工人阶级状况》的续篇"。[1]罗森别尔格在他的《十九世纪四十年代马克思恩格斯经济学说发展概论》一书中，以恩格斯早期的经济研究为题介绍了《国民经济学批判大纲》一书。他认为这部书"是在经济科学上开始形成无产阶级社会主义初期言论之一"。[2]而且他还指出："'大纲'对于阐明马克思主义经济理论形成过程是怎样发生的，提供了巨大的兴趣。"[3]当然，他并没有否认恩格斯这部著作还存在一定的缺陷，但还是强调了这部著作对马克思社会经济观点的形成具有重要作用。在分析《英国工人阶级状况》时，罗森别尔格指出：恩格斯

---

[1] ［苏］阿·伊·马雷什：《马克思主义政治经济学的形成》，刘品大译，四川人民出版社1983年版，第128页。
[2] ［苏］罗森别尔格：《十九世纪四十年代马克思恩格斯经济学说发展概论》，方钢译，生活·读书·新知三联书店1958年版，第33页。
[3] ［苏］罗森别尔格：《十九世纪四十年代马克思恩格斯经济学说发展概论》，方钢译，生活·读书·新知三联书店1958年版，第33页。

是"第一个从经济上论证了社会主义革命的不可避免性"。①恩格斯是在对当时最发达的资本主义国家的经济所做的具体分析中证明共产主义的必然到来的。罗森别尔格认为《英国工人阶级状况》在马克思主义政治经济的发展中起过巨大的作用。恩格斯在这部著作中继续深入研究了其在《国民经济学批判大纲》中阐述过的经济问题。此外,斯捷潘诺娃在其《恩格斯传》中以及列·伊利切夫在《弗里德里希·恩格斯》中提到恩格斯的著作时,也更多的是讨论其政治经济学的意义。从政治经济学的视角研究《大纲》与《状况》可以说是苏联学者研究的一大特色,但是并不否定对其他方面内容的关注。只是主要聚焦于《大纲》和《状况》对于在马克思主义政治经济学史上的地位,以及对于相关经济学范畴的解读和社会状况的分析。

(二)西方学者的范式

西方学者对于《大纲》与《状况》的研究,主要涉及的是从传记的角度透视这两部文献的思想定位、学术地位以及恩格斯对马克思的影响等方面。

---

① [苏]罗森别尔格:《十九世纪四十年代马克思恩格斯经济学说发展概论》,方钢译,生活·读书·新知三联书店1958年版,第33页。

格姆科夫在其著作《恩格斯传》中认为《大纲》,"不论就哲学还是就经济和政治方面来说,他在自己世界观的发展上已开始了一个崭新的阶段"[1],并指出《状况》,"尽管其中处处存在一些迹象,说明现代社会主义产生于它的来源之一——德国古典哲学,但这部作品也最能说明:在与马克思共同创立这个新的世界观的过程中,恩格斯曾在多大程度上作出了独自的贡献"。[2]科尔纽是影响力很大的传记作家,他在《马克思恩格斯传》中阐述了当时恩格斯的思想状态,并且从恩格斯对马克思的影响角度指出,"为了对无产阶级、阶级斗争和共产主义能够有一个有科学根据的理解,就必须分析资产阶级社会的基础,即资本主义经济制度及其发展。在这方面对马克思有所帮助的首先就是恩格斯在《德法年鉴》上发表的文章,特别是《政治经济学批判大纲》"[3],并肯定了恩格斯这部著作体现了其

---

[1] [德]海因里希·格姆科夫:《恩格斯传》,易廷镇等译,生活·读书·新知三联书店1980年版,第69页。
[2] [德]海因里希·格姆科夫:《恩格斯传》,易廷镇等译,生活·读书·新知三联书店1980年版,第93页。
[3] [法]奥古尔特·科尔纽:《马克思恩格斯传》第1卷,刘磊等译,生活·读书·新知三联书店1963年版,第639页。

思想的巨大进步。当提到《英国工人阶级状况》这本书时，科尔纽认为恩格斯的"这本书可以说是他从1842年以来关于英国状况所发表的文章中的最高成就"。[①]恩格斯的这两本书对他自身走向历史唯物主义有着重要作用。马克思学家卡弗认为恩格斯的《国民经济学批判大纲》对马克思具有很大的冲击力，对马克思之后的工作方向有引导作用。可见，这部著作在马克思主义发展史上具有重要的地位。

可以说这种解读范式，从恩格斯著作的影响力入手，对于我们全面把握恩格斯思想发展脉络具有相当大的影响。进而，国内学者对这两部著作的解读大多是从马克思主义发展史的角度上进行的。但纵观西方学者对恩格斯思想的研究，暂未发现专门的著作来探讨恩格斯的这两部著作，或许是受到西方一些学者鼓吹的马恩对立论的影响，或许是因为恩格斯在晚年对《国民经济学批判大纲》自己的批判，又或者是因为恩格斯这一时期提到的经济思想并没有很成熟，与马克思的《资本论》存在着一定

---

① ［法］奥古尔特·科尔纽：《马克思恩格斯传》(第3卷)，管士滨译，生活·读书·新知三联书店1963年版，第94页。

的张力。

(三) 日本学者的研究范式

日本学者对于恩格斯《大纲》的研究，主要是从恩格斯对马克思的影响，特别是对马克思历史观的影响，也就是从历史理论的视角进行审视的。代表人物就是望月清司和山之内靖。比如望月清司在其著作《马克思历史理论的研究》中提出，恩格斯的《大纲》"对资本主义及其辩护者的控诉是尖锐的，充满了大无畏的精神。马克思从这篇论稿中感到了异常的震撼"[①]，"通过《国民经济学批判大纲》，马克思认识到，要想从内部来突破黑格尔市民社会理论，关键在于对斯密的社会的认识"。[②]可见，恩格斯对资本主义社会的分析以及对资产阶级和私有制的批判对马克思产生了重要影响。马克思也意识到要从内部突破市民社会理论，就需要了解现实的社会，需要研究经济学。山之内靖也认为《国民经济学批判大纲》的出现，有助于激发马克思研究经济学，从而走向历史唯物主义。他在《受苦者的目光 早期马克思的复兴》这本书中指出："在对黑格

---

①② [日]望月清司:《马克思历史理论的研究》，韩立新译，北京师范大学出版社2009年版，第29—30页。

尔的《法哲学原理》进行研究这样的迂回之路上耗费了工夫的马克思在接触到'国民经济学批判大纲'的前后，着手对经济学进行深入研究，不久便决定性地超越了'大纲'的水准"，①。不过他认为此时的恩格斯的思想定位仍是一个道德主义者，"道德主义者恩格斯的主张与在他心中深深渗透的黑格尔或者黑格尔左派对市民社会的认识是相反的。"②可见，山之内靖对马克思的评价是很高的，马克思在《国民经济学批判大纲》的基础上又更进一步。但是《国民经济学批判》中仍然有道德主义的影子。

从历史观入手分析恩格斯的著作对马克思及马克思主义的影响，是日本学者研究的主要特点。这一范式承袭日本马克思主义的研究传统，即超越传统的苏联教条主义意识形态的解释范式，而寻求一种新的解释模式。

---

① [日]山之内靖：《受苦者的目光早期马克思的复兴》，彭曦等译，北京师范大学出版社2011年版第94—95页。
② [日]山之内靖：《受苦者的目光早期马克思的复兴》，彭曦等译，北京师范大学出版社2011年版，第96页。

(四)中国学者的研究范式

国内对《国民经济学批判大纲》和《英国工人阶级状况》的研究,有一个时间的发展脉络。从新中国成立初期承袭苏联的研究范式,到改革开放后马恩思想定位比较研究,再到近些年来主张回到恩格斯。学者们在不断的探索中,始终坚持以恩格斯的文本为中心,将其置于马克思主义的发展史中,进而挖掘恩格斯早期著作的价值。

关于马恩思想定位的比较研究中,国内有较大影响力的是黄楠森先生,他认为"《大纲》是马克思主义的奠基之作"[1],进而指出"恩格斯的《大纲》对马克思早期思想的发展起了促进作用"。[2] 可以说,这一认识与日本学者的认识是不谋而合的。对于《状况》,黄先生认为恩格斯通过对英国工人阶级经济地位的考察,论证了无产阶级的历史使命。即在斗争中自己解放自己,但此时恩格斯还是受到费尔巴哈人本主义的影响。与此同时,对于《大

---

[1] 黄楠森主编:《马克思主义哲学史》第1卷,北京出版社1991年版,第277页。
[2] 黄楠森主编:《马克思主义哲学史》第1卷,北京出版社1991年版,第277—278页。

纲》中所表现出来的早期恩格斯思想的研究也开始兴起，并产生了一些成果，如商德文的《恩格斯经济思想研究》、朱传启的《马克思恩格斯哲学思想比较研究》、罗郁聪的《恩格斯经济思想研究》等。这些论文将恩格斯的著作置于思想史中研究，随着这些研究的深入，人们感到对于恩格斯的研究还远远不够，提出要重新回到恩格斯的文本，重新回到恩格斯去研究恩格斯。这一范式的代表人物就是胡大平，其在著作《回到恩格斯》中指出：《大纲》的发表，表明恩格斯不是从逻辑的体认出发，而是从现实出发，"恩格斯不仅在起点上对资本主义的理解和认识就达到了当时社会主义思想中的最高水平，而且他对政治经济学理论的关注，一开始就聚集于那些资本实际操作联系在一起的重大问题"，[①] 而对《英国工人阶级状况》分析，胡大平认为恩格斯开启了新的叙事方式——现代社会主义的叙事，"恩格斯不仅重新定位了社会主义的叙事起点，并由此打开了现代社会主义叙事的问题，而且提出了一个至关重要的问题：社会主义的写作，到

---

① 胡大平：《回到恩格斯文本、理论和解读政治学》，江苏人民出版社2011年版，第157页。

底为谁而写作!",社会主义的叙事方式当然是为了最广大的劳苦大众。诚如恩格斯在《英国工人阶级状况》的开篇写道:"工人们!我谨献给你们一本书。在这本书里,我试图向我的德国同胞真实地描述你们的状况、你们的苦难和斗争、你们的希望和前景。"① 这种新的解读方式是建立在之前的范式基础之上,揭示出马克思主义发展的根本性问题,即为什么人服务的问题。

不管是之前紧随苏联的解读模式,还是之后自己探索的模式,国内的学者都坚持了以文本为中心的原则,并且会理论联系实际。不仅仅是对恩格斯当初思想的阐释,还会呼应当下的现实社会。比如对《状况》的研究中会涉及环境及空间正义思想的研究,恩格斯的分析对现实社会仍然具有一定的指导意义。

上述的解读范式,是相互影响和相互渗透的。不管是苏联、西方、日本还是中国,对这两部著作的研究都是相通的。在这两部著作中,四种范式的区别并没有表现得很突出,只是有所侧重,并从不

---

① 《马克思恩格斯文集》第1卷,人民出版社2009年版,第382页。

同的角度着手来研究恩格斯早期的思想,提出恩格斯与马克思的关系问题。但是,在具体的议题上,四种解读范式还是存在不同的理解,这集中体现在以下的焦点问题中。

四、焦点问题

《国民经济学批判大纲》和《英国工人阶级状况》作为恩格斯早期的代表性著作,在马克思主义发展史上具有重要地位。学界对这两部著作的研究,主要集中于恩格斯青年时代与费尔巴哈的关系研究,恩格斯共产主义思想研究,《国民经济学批判大纲》中价值范畴的研究和马克思与恩格斯的关系研究。①

(一)恩格斯青年时代与费尔巴哈的关系研究

通过分析恩格斯的《国民经济学批判大纲》,有学者认为他的思想仍具有费尔巴哈人道主义的特点。普列汉诺夫说过,发表在《德法年鉴》的几篇文章中,可以看出"马克思及和他合著《年鉴》的恩格斯,已经很稳定地站在费尔巴哈的'人道主

---

① 何娟:《恩格斯早期代表性著作研究的主要议题探析》,载《理论月刊》,2020年第4期。

义'的观点上了"。① 所以，普列汉诺夫认为恩格斯在《德法年鉴》时期还处于费尔巴哈的人文主义阶段。日本学者山之内靖，通过恩格斯在评判以亚当·斯密的《国富论》为基础的自由贸易体系时所提出的这种经济学"同样是伪善、前后不一贯和不道德的。这种伪善、前后不一贯和不道德目前在一切领域中与自由的人性处于对立的地位"②的分析，认为"不消说，在以上论述中，费尔巴哈的立场即普遍的人性主义被当做立论的根据。〈大纲〉不仅采纳了李嘉图派社会主义的观点，同时还在德国思想中寻求根本基础"，③指出此时的恩格斯仍深受费尔巴哈人道主义思想的影响，并将恩格斯称为"道德主义者"。学者商德文，在其著作《恩格斯经济思想研究》中指出，"从真正科学的马克思主义的观点看来，《国民经济学批判大纲》并不是一部成熟的著作，它还带有空想社会主义的痕迹和费尔巴哈人本主义的影响，甚至还包含着某些错误的论

---

① 《普列汉诺夫哲学著作选集》第3卷，生活·读书·新知三联书店1962年版，第52页。
② 《马克思恩格斯文集》第1卷，人民出版社2009年版，第58页。
③ ［日］山之内靖：《受苦者的目光早期马克思的复兴》，彭曦等译，北京师范大学出版社2011年版，第93页。

点",①这主要是以恩格斯后来给李卜克内西的信为依据的。持相同观点的还有孙伯鍨,他认为"《政治经济学批判大纲》虽然是恩格斯早年不甚成熟的经济学著作,它所依据的基本哲学前提仍然是费尔巴哈的人本主义,但是,它作为一部'内容丰富而又富于独创性的著作',仍然有相当的历史价值,所以,马克思称它为'批判经济学范畴的天才大纲'"。②他认为恩格斯之所以批判私有制及其产生的各种社会关系,是因为它们首先是反人道的。张湫、孙荣也认为在《国民经济学批判大纲》中,"贯串于全文的是费尔巴哈的唯物主义的精神,费尔巴哈的人本学唯物主义是这部著作在哲学世界观方面的'底色'"。③他们认为恩格斯当时真正理解了青年黑格尔主义与费尔巴哈唯物主义的区别,并且在写作《国民经济学批判大纲》时自觉地使用了费尔巴哈的唯物主义来考察和分析问题,所以《国民经济学批判大纲》的内容中明显地带有费尔巴哈

---

① 商德文等:《恩格斯经济思想研究》,北京出版社1985年版,第29—30页。
② 孙伯鍨:《马克思主义哲学史》,山西人民出版社1982年版,第97页。
③ 张湫、孙荣:《〈政治经济学批判大纲〉的哲学性质》,载《理论界》2014年第4期。

人本学唯物主义的痕迹，也就相应存在着与费尔巴哈相同的缺陷了。他们还指出这部著作尽管还存在着黑格尔哲学的遗迹，但是它是实现哲学世界观从唯心主义向唯物主义根本性转变的标志。可见，虽然上述学者并没有明确地分析恩格斯到底在哪些方面受到了费尔巴哈的影响，但是基本上都是从人本主义的立场来说费尔巴哈对恩格斯的影响，也就是说大家认为恩格斯著作中的分析还具有一定的抽象性。

对此，笔者认为，恩格斯在陈述18世纪的经济学革命已发觉到费尔巴哈式唯物主义的弊端，即没有进入现实层面的唯物主义，只是抽象停留在自然界，没有进入人类社会。正如黄楠森所指出的"费尔巴哈的唯物主义也只是停留在用自然界来取代上帝，只看到人是自然界的产物，人是自然界的存在物，忽视人对自然界的改造作用，不了解人的主观能动性。因此，恩格斯对18世纪旧唯物主义的批判，实质上也就是对费尔巴哈唯物主义局限性的突破"。[①]虽然在《国民经济学批判大纲》中偶尔会

---

① 黄楠森等编：《马克思主义哲学史》第1卷，北京出版社1991年版，第278页。

有一些费尔巴哈的影子,尤其是在讨论道德领域问题的时候。但是恩格斯已经试图在突破费尔巴哈的影响。如果说恩格斯受费尔巴哈影响的话,可以说恩格斯在费尔巴哈的影响下走出了唯心主义,运用颠倒的原则分析经济学的现象。"这样一来,经济学中的一切就被本末倒置了:价值本来是原初的东西,是价格的源泉,倒要取决于价格,即它自己的产物。大家知道,正是这种颠倒构成了抽象的本质。关于这点,请参看费尔巴哈的著作。"[1]可见,恩格斯早年的时候,阅读过费尔巴哈的著作,并在费尔巴哈的影响下认清了思辨唯心主义的错误。但是,恩格斯不是停留于对自然界的分析,而是深入分析了人类社会。

恩格斯在《英国工人阶级状况》1892年德文第二版序言中指出"正如人的胚胎在其发展的最初阶段还要再现出我们的祖先鱼类的鳃弧一样,在本书中到处都可以发现现代社会主义从它的祖先之一即德国古典哲学起源的痕迹",[2]恩格斯肯定了自己还受到之前德国古典哲学的影响,但是这种影响已经

---

[1] 《马克思恩格斯文集》第1卷,人民出版社2009年版,第66页。
[2] 《马克思恩格斯文集》第1卷,人民出版社2009年版,第370页。

逐渐消失。科尔纽在分析《英国工人阶级状况》这部著作时就指出:"恩格斯的这部著作还带有从费尔巴哈人道主义那里得到的某些唯心主义的痕迹;但是从整个来看,这些唯心主义的痕迹无损于对于历史的唯物主义观点。这个唯物主义历史观正在形成并且使他在摈弃唯心主义的同时,也摈弃了费尔巴哈的半形而上学的唯物主义和他的人道主义。"①所以,即使恩格斯在《英国工人阶级状况》1892年序言中坦诚了他著作中德国古典哲学的痕迹,但是从其对国家的经济社会发展状况的分析,从其对资本主义制度的分析,对工人阶级状况的描述,可见恩格斯实际上已经摆脱了社会观上的唯心主义,也在很大程度上摆脱了费尔巴哈人文主义对他的影响。

(二)恩格斯共产主义思想研究

恩格斯在《国民经济学批判大纲》和《英国工人阶级状况》中对资本主义的批判,对无产阶级历史使命的阐释,对社会变革的必然来临的分析,使学界对这两部著作中的社会主义思想研究产生了兴趣。

---

① [法]奥古尔特·科尔纽:《马克思恩格斯传》第3卷,管士滨译,生活·读书·新知三联书店1980年版,第137—138页。

苏联学者罗森别尔格，认为恩格斯在《国民经济学批判大纲》中"没有彻底摆脱空想社会主义，尤其是它的英国流派的印记。恩格斯常在本书中从道德正义永恒规律的眼光批评资本主义；他往往用道德的谴责来结束对某些经济现象的深刻的理论的分析。他从抽象的道德原则出发，给贸易、竞争和土地所有制等都下了判决"[①]。恩格斯还同英国的空想社会主义者一样，将价值认为是公正的表现，市场价格是公正的被侵犯，价格离开价值是违反了价值。并没有意识到市场价格是围绕价值上下波动的。不仅如此，恩格斯同空想社会主义者一样，批判经济学家不道德，也没有区分古典经济学和庸俗经济学。日本学者山之内靖在其《受苦者的目光：早期马克思的复兴》中探讨《国民经济学批判大纲》未能避免的各种制约时，介绍了卢森贝对《大纲》的批判，其中一点就是恩格斯虽然揭示了古典经济学存在的矛盾，但是并没有深入挖掘这个矛盾，而是"立足于道德和正义的永远的规律性这样的观点来指出这一矛盾，并从这一立场对资本主

---

① ［苏］罗森别尔格：《十九世纪四十年代马克思恩格斯经济学说发展概论》，方钢译，生活·读书·新知三联书店1958年版，第49页。

义进行了外在、超越的批判。在此大概可以看出英国空想社会学的影响吧。英国空想社会主义者们将价值视为正义的体现,而将市场价格视为不道德的东西,认为那是对正义的破坏"。① 这就是说明恩格斯的思想中还留有空想社会主义的影子,但大部分学者还是认为恩格斯已经走向批判空想社会主义的道路。

有学者认为此时的恩格斯已经摆脱空想社会主义。黄楠森指出:恩格斯在《国民经济学批判大纲》中"从经济学上对共产主义作了初步论证,突破了对共产主义抽象的、思辨的论证的局限性,从而把空想社会主义和共产主义(包括他自己曾赞赏过的哲学共产主义)远远地抛在后面了。恩格斯对共产主义内容的理解日益丰富,《国民经济学批判大纲》实际上描绘了共产主义社会的某些基本特征,阐明了科学共产主义的若干原则,标志着他的思想园地已抽芽发叶,一片新绿"。②《恩格斯和马

---

① [日]山之内靖:《受苦者的目光:早期马克思的复兴》,彭曦等译,北京师范大学出版社2011年版,第89页。
② 黄楠森等编:《马克思主义哲学史》第1卷,北京出版社1991年版,第273页。

克思主义》一书中认为恩格斯在《大纲》中"具体分析了资本主义社会的经济关系及其内在的矛盾运动,揭示了资本主义必然灭亡的机制,从经济学上论证了共产主义的必然性"。①"在《英国工人阶级状况》一书中,他生动地叙述了无产阶级反对资产阶级的斗争,必然要求推翻资本主义的统治,消灭资本主义制度,实现共产主义。这就为共产主义的必然胜利的学说提供了现实的基础。"②也就是说恩格斯在早期的两部著作中已经从不同的角度论证了共产主义的必然性。科尔纽在《马克思恩格斯传》中提到恩格斯在《莱茵报》时期通讯中就已经在深入了解英国状况的前提下,摆脱了赫斯空想的感伤的共产主义的影响,他的共产主义已经不再是一种空想或者道德规范了。在《国民经济学批判大纲》中,恩格斯进一步指出只有无产阶级的共产主义革命才能改变现实的社会。总之,恩格斯在《国民经济学批判大纲》中对资本主义政治经济学的发展历史做了全面的梳理,深刻剖析了资本主义政治经济学的基本范畴,如商业、价值、资本、竞争、垄

---

① 《恩格斯和马克思主义》,中国人民大学出版社1985年版,第44页。
② 《恩格斯和马克思主义》,中国人民大学出版社1985年版,第45页。

断、经济危机等，这就摆脱了空想社会主义对于现实社会批判的道德主义的批判，为科学社会主义的建立确立了科学的方法。

《英国工人阶级状况》是恩格斯在深入调查的基础上写成的，是对形形色色的空想主义、资产阶级的博爱主义的有力批判，这部著作对科学社会主义的建立有着重要意义。正如科尔纽所言，"它被恩格斯用来当作某种解毒剂，消除了德国的落后状况和'真正的'社会主义可能在他思想上产生的影响的毒素"，① 罗森别尔格也认为，在《英国工人阶级状况》中恩格斯已经指出了科学社会主义区别于空想社会主义的方法论上的决定性的要点，"科学的社会主义从一开始就以研究资本主义生产发展的历史趋势和资本主义生产的阶级结构为依据，在他看来，没有一般的人，而有属于历史上形成的一定阶级的人"。② 朱传启认为，《英国工人阶级状况》是恩格斯的社会主义理论趋于成熟的结晶，"不论就

---

① ［法］奥古尔特·科尔纽:《马克思恩格斯传》第3卷，管士滨译，生活·读书·新知三联书店1980年版，第135页。
② ［苏］罗森别尔格:《十九世纪四十年代马克思恩格斯经济学说发展概论》，方钢译，生活·读书·新知三联书店1958年版，第207页。

这部著作对工人运动和空想社会主义观点的批评，还是就描述和分析英国工人阶级状况的存在和发展的趋势来看，或者就其分析的方法和得出的结论而言，都可以表明这是第一部科学社会主义著作"。①因此，大部分学者是赞同恩格斯在《英国工人阶级状况》中已经摆脱空想社会主义的影响，走向科学社会主义的。

笔者认为，恩格斯在《英国工人阶级状况》中试图从英国工人运动的视角批判空想社会主义，他认为工人运动分为宪章派和社会主义者，宪章派虽然发展水平很低，但却是真正的无产阶级的代表。但社会主义者如欧文他们，是资产阶级的代表，不能真正与共产主义融为一体，他们一下子将国家置于共产主义的境界，而不是进行根本性的变革以达到国家自行消亡的目的。由此可见，恩格斯此时已经意识到无产阶级革命对共产主义运动的重要性，已经开始分析英国的社会主义、法国的共产主义的差异和不足，形成自己对共产主义科学的认识。《英国工人阶级状况》中对于科学社会主义的建立

---

① 朱传启等：《马克思恩格斯哲学思想比较研究》，河南人民出版社1995年版，第49页。

的重要意义还在于其对于历史唯物主义的阐释，从历史唯物主义的角度阐释了未来社会到来的客观必然性，正如恩格斯在《英国工人阶级状况》的结尾所预言的"总有一天会发生有产阶级的聪明人士所梦想不到的事件，从而使这个阶级感到震惊"，①而这个预言在随后的时代不断重演，列宁也指出《英国工人阶级状况》是"对资本主义和资产阶级的极为严厉的控诉"。19世纪以来的国际共产主义运动就是对此最好的佐证。这些都是从共产主义角度来解释恩格斯试图摆脱空想社会主义的影响，但是不可忽视的是恩格斯在《英国工人阶级状况》中虽然指出来私有制的存在影响了道德领域，但是并没有揭示出道德与社会制度之间的关系。恩格斯在《英国工人阶级状况》中最后指出他认为现在已经发生的穷人反对富人的战争，将在英国成为普遍的、全面的和直接的战争，想要和平解决已经不可能了。所以工人必定起来反抗资产阶级不是口号，工人阶级的解放也不是空想，而是会在工人运动下实现的。所以，恩格斯在《国民经济学批判大纲》或者

---

① 《马克思恩格斯文集》第1卷，人民出版社2009年版，第447页。

《英国工人阶级状况》中有对工人阶级的道德上的亲近,这源于他与他们的直接接触和交往,但是他更多的还是在科学地分析和论证,这已经摆脱了空想社会主义对其思想的影响。

(三)关于"价值"范畴的讨论

对于《国民经济学批判大纲》学术界争论最多的莫过于恩格斯在其中对于"价值"这一范畴的论述。学界的争论主要围绕这三个方面:一是如何看待恩格斯对李嘉图学派和萨伊学派价值理论的批判;二是恩格斯在大纲中提出的价值是否符合马克思的价值理论;三是恩格斯对于价值与价格关系的理解。

关于第一点,马雷什认为"恩格斯在自己的文章中没有区分出资产阶级政治经济学的古典学派相庸俗学派。他还不清楚古典作家和庸俗作家之间的根本的、原则性的区别。他把他们通常混为一谈。此时,恩格斯尚未认清劳动价值论的科学意义。这就是《政治经济学批判大纲》的最主要的弱点之一"。[1] 也就是说,恩格斯没有对经济学派做出明

---

[1] [苏]阿·伊·马雷什:《马克思主义政治经济学的形成》,刘品大译,四川人民出版社1983版,第65页。

显的区分，只是阐述了随着资本主义的发展和无产阶级斗争的加剧，资产阶级政治经济学就会日益庸俗化。李嘉图学派和萨伊学派都只是看到了价值范畴的一个方面，具有片面性。但恩格斯没有指出两者本质的区别。张一兵认为恩格斯"他肯定了价值的存在，但对价值的看法却是错误的，因为他还没有区分出李嘉图劳动价值论与萨伊庸俗效用论的根本不同点"，① 恩格斯在一开始就没有正确理解经济学中的价值问题，所以之后即使他认识到了李嘉图和萨伊各自的缺陷，并且指出在竞争中真实出现的只是价格，但最终还是不能科学地批判资产阶级经济学。而何钢则认为"与其说恩格斯把李嘉图和萨伊等量齐观，否定李嘉图的劳动价值论，还不如说他是批判了资产阶级庸俗经济学的两种价值论，更为切合实际"，② 他认为《国民经济学批判大纲》批判的"生产费用论"虽然来源于亚当·斯密价值理论中的庸俗成分，但是它并不属于古典学派。也就

---

① 张一兵：《政治经济学逻辑中的政治哲学颠覆——青年恩格斯的〈政治经济学批判大纲〉解读》，载《求实》1998年第6期。
② 何钢：《关于恩格斯〈政治经济学批判大纲〉中的价值理论》，载《理论探索》1985年第5期。

是说，恩格斯在批判生产费用论时，虽然提到了李嘉图，但是更想批判的是从李嘉图学派倒向庸俗学派的麦克库洛赫。李嘉图本人是以劳动价值论著称的，并不是生产费用论，所以这里并不是对李嘉图劳动价值论的否定，而是对庸俗的生产费用论的否定。姜海波认为，"恩格斯对价值所下的定义是'生产费用对效用的关系'，某种程度上，这就表明恩格斯还没有完全摆脱萨伊和麦克库洛赫庸俗经济学的影响"①。可见，恩格斯即使在批判这两个学派，但是却不自觉地受到它们的影响，使用了它们的词汇。罗郁聪和陈其林认为"恩格斯是在竞争和供求关系中，把握价值这一范畴的。所以，他在《政治经济学批判大纲》中的价值命题，并不是李嘉图学派和萨伊学派双方争论意见的综合，而是强调竞争在认识价值问题中的地位和作用，从而使他自己的价值命题具有了新的科学的含义"②。他们认为恩格斯已经意识到价值本身不是孤立存在的，而是劳动

---

① 姜海波：《恩格斯〈国民经济学批判大纲〉研究读本》，中央编译出版社2014年版，第98页。
② 罗郁聪、陈其林：《马克思恩格斯价值命题的比较研究——兼论〈政治经济学批判大纲〉中价值命题的现实运用》，载《学术月刊》1987年第9期。

的一种社会形式，体现了人与人之间的经济关系，价值是在竞争的过程中形成、决定和实现的。笔者认为恩格斯当时尽管对斯密和李嘉图的经济理论的论述发挥得不是很透彻，甚至不是完全正确，但是其从私有财产是资本主义制度的真正根源出发来反驳资产阶级的政治经济学，是对马克思主义政治经济学做出的巨大贡献。恩格斯对价值的定义表面上是麦克库洛赫、李嘉图和萨伊学说的综合，实际上却是在批判学说的缺陷，恩格斯着重强调了这两种学说忽视了竞争的作用，从而得出的结论并不符合实际情况。因此，虽然恩格斯并没有阐明李嘉图学派和萨伊学派，但其自身此时已经超越了李嘉图和萨伊学派。

关于第二点，彭勋认为恩格斯在《国民经济学批判大纲》中对于价值的理解蕴含着马克思的价值论的萌芽，"实际上，《国民经济学批判大纲》有关价值的论述已包含了马克思劳动价值论许多重要思想的萌芽，例如没有使用价值的东西不会有价值，要以价值和使用价值的对比来衡量某个物品是否值得生产，只能以社会总劳动的一定语来生产某种使用价值，价值是一个历史范畴等思想，都在一定程度上接近了马克思的劳动价值论"[1]。他认为虽然《国民经济学批判大纲》中关于价值的论述有不确切的地方,但是只是思想成熟度的问题,与马克思之后的劳动价值论并无实质冲突。恩格斯后来在《反杜林论》中将生产费用修正为了劳动花费。罗郁聪也认为,"当时恩格斯已经认识到,价值本身不是孤立地存在和决定的,它是人类劳动的一种社会形式,体现了人与人之间的经济关系,价值的形成、决定以及实现是在竞争这样一个社会的自发过程中完成的。这一认识,对于以后的马克思的价值理论研究,无疑具有重要的启发"[2]。可见,恩格斯关于价值本质和实体的研究虽然不够成熟,但对马克思具有一定的启示作用,并在《资本论》中获得了科学的论证。同时,马克思的研究又反过来使得恩格斯在《反杜林论》中关于价值命题的阐述更加成熟和完善。王惟中和洪大璘指出完全肯定恩格斯的定义,认为恩格斯的定义是符合马克思的劳动价

---

[1] 彭勋:《无产阶级政治经济学的开篇章——纪念恩格斯〈政治经济学批判大纲〉发表140周年》,载《经济研究》1984年第5期。

[2] 罗郁聪、陈其林:《马克思恩格斯价值命题的比较研究——兼论〈政治经济学批判大纲〉中价值命题的现实运用》,载《学术月刊》1987第9期。

值论是很难令人信服的。在他们看来，第一，"马克思的劳动价值论是渊源于古典政治学价值理论中的科学成分，而恩格斯1844年的价值定义则是从两种庸俗价值论的争论中产生的"[①]。第二，马克思和恩格斯价值概念内涵是不同的，关于价值量的决定，两个价值概念是不符合的。第三，马克思说的抽象劳动与恩格斯所说的生产费用是不相同的东西。这就从价值范畴产生的来源、概念的内涵指出马克思和恩格斯的差异。但是这不等于说它与马克思的劳动价值论毫无关系，实际上它还是包含着马克思劳动价值论中的许多重要内容的萌芽的。他们从六个方面揭示了恩格斯价值概念对马克思劳动价值论的影响，比如，恩格斯说的价值与效用的关系则是使用价值和价值关系的萌芽；价值是首先用来解决某种物品是否应该生产的问题，揭示了价值首先要解决的生产上的问题；等等。但是在张德林看来，恩格斯此时对于价值的理解，"虽然他在当时认识到生产费用即劳动是价值的决定因素，但还没有认识到它是价值的唯一决定因素，而把效用也看

---

① 王惟中、洪大璘：《怎样理解"价值是生产费用对效用的关系"？》，载《经济研究》1981年第3期。

成是价值的一个决定因素,这说明他当时还没有正确地接受古典经济学劳动价值论的合理因素"①,认为此时的恩格斯并没有把价值与交换价值区分开来,并没具有的劳动价值论的萌芽或闪光点。杨致恒认为恩格斯此时给价值下的定义和他自己与马克思之后建立的科学的价值理论是不同的。恩格斯在很大程度上讨论的是价格而不是价值。恩格斯的价值概念虽然超越了资产阶级经济学的价值定义,但是却不同于之后马克思主义的价值理论,不过对社会主义、共产主义社会有计划地安排社会生产和劳动分配具有启发意义。笔者认为恩格斯在《国民经济学批判大纲》中关于价值概念的定义肯定没有马克思劳动价值论的高度和深度,但是在一定程度上,其思想还是可以看作马克思思想的来源。

关于第三点,列昂节夫认为"在写《政治经济学批判大纲》时,恩格斯还没有看到价格和价值实际上相适应,实际上是否定了价值,因为他认为价格永远摇摆不定的状况通过竞争破坏着物品所固有的一切内在的价值,并且每日每时都在改变着一切

---

① 张德林:《论〈政治经济学批判大纲〉对马克思主义政治经济学形成的意义》,载《吉林大学社会科学学报》1985年第4期。

物品相互交换的关系"。① 这就揭示了在竞争条件下，价格与价值存在一定的差异。张雷声认为"在恩格斯看来，竞争是私有制的必然产物，它到处存在并决定一切。在竞争的统治下，抽象价值是不存在的，只存在着交换价值或市场价格，并且由于竞争的作用，在交换过程中形成的价格与生产费用决定的价值是不相一致的。因此，在竞争统治下是不存在价值的"②。这就揭示了在竞争条件下，人们只能看到价格，并不能看到价值的存在。杨致恒指出恩格斯在《国民经济学批判大纲》中只承认价格或商业价值，不承认存在价值这个经济范畴，"在《国民经济学批判大纲》中，恩格斯虽然在实际价值和交换价值的名义下，看到了价值和价格的区别，但他认为，实际价值或抽象价值，不过是一些抽异的不实际的东西，并不存在的。他只承认交换价值、等价物、商品价值的实际存在，也就是只承认价

---

① ［苏］列·阿·列昂节夫：《恩格斯在马克思主义政治经济学形成和发展方面的作用》，方钢等译，中国人民大学出版社1982年版，第69页。
② 张雷声：《马克思主义经济思想史上的第一篇重要文献——读恩格斯的〈国民经济学批判大纲〉》，载《甘肃社会科学》2014年第5期。

格的实际存在"①。可见，他认为在《国民经济学批判大纲》中，恩格斯只看到价格的存在，却并没有真正理解价值的范畴。萧灼基在《恩格斯传》中指出，恩格斯必然已经看出价格与价值的背离，但还未能理解市场价格的上下波动正是价值借以实现的形式。何钢认为恩格斯"看到并揭示出在资本主义社会的现实经济生活中，价值（他又称之为实际价值、抽象价值）和价格（他又称之为交换价值、商业价值、等价物）实际上并不相等的现象。这是符合实际的。但是，当时他显然还没有达到他后来所认识到的高度，即价值正是存在于受竞争和供求的影响不断与价值背离，不断上下波动的价格的平均数中。他强调理论必须符合实际。既然在市场上必然存在着竞争和供求的作用，在理论研究中也就无法回避，不应该存而不论"。②由此可见，大部分学者肯定了恩格斯已经认识到价值与价格的背离。恩格斯在《国民经济学批判大纲》中对价值与价格的

---

① 杨致恒：《试论〈政治经济学批判大纲〉中的价值理论》，载《财经科学》1984年第6期。
② 何钢：《关于恩格斯〈政治经济学批判大纲〉中的价值理论》，载《理论探索》1985年第5期。

关系分析中，最后揭示出价值决定价格的规律，一直被资产阶级颠倒着。这表明恩格斯已经意识到价值是决定性因素，价格是围绕价值上下波动的，这对之后马克思发现价值规律起着一定的促进作用。

笔者认为，虽然学者对恩格斯"价值"概念的观点不尽相同，但是，大部分学者相对而言采取一种比较客观的态度，诚如黄仲熊等指出的"不应当把《国民经济学批判大纲》的'价值'概念不加分析地完全否定或完全肯定；而应该把它看作是马克思主义价值理论在形成道路上的一个起点、第一块奠基石"[1]。此外，要想真正掌握恩格斯在《国民经济学批判大纲》中关于"价值"概念的理解，还需要将其与恩格斯的共产主义观联系起来，恩格斯认为只有在消灭了私有制的共产主义条件下，价值的定义才有效。因此，想要把握恩格斯关于"价值"概念的理解，还是要立足于《国民经济学批判大纲》的文本，了解恩格斯抨击的对象。

（四）恩格斯与马克思的关系研究

恩格斯的这两部早期著作对马克思和恩格斯的

---

[1] 黄仲熊、曾启贤、汤在新：《恩格斯〈政治经济学批判大纲〉一书中的价值理论》，载《经济研究》1963年第11期。

关系，对马克思之后的思想都有很大的影响，对马克思主义政治经济学的形成和丰富发展起着很大的推动作用。在《1844年经济学哲学手稿》的序言中，马克思就指出"但是，德国人为了这门科学而撰写的内容丰富而有独创性的著作，除去魏特林的著作，就要算《二十一印张》文集中赫斯的几篇论文和《德法年鉴》上恩格斯的《国民经济学批判大纲》"①。通过阅读比较，可以说恩格斯的《国民经济学批判大纲》规定了《1844年经济学哲学手稿》的主导逻辑。因为《国民经济学批判大纲》中提到劳动的分类与《1844年经济学哲学手稿》中异化劳动的规律非常接近；马克思《1844年经济学哲学手稿》中对私有财产的批判在《国民经济学批判大纲》中已经涉及了，《国民经济学批判大纲》中已经将私有制作为批判的核心。不仅如此，马克思在《〈政治经济学批判〉序言》中阐述他的唯物史观思想产生过程和主要内容时写道："自从弗里德里希·恩格斯批判经济学范畴的天才大纲（在《德法年鉴》上）发表以后，我同他不断通信交换意

---

① 《马克思恩格斯文集》第1卷，人民出版社2009年版，第112页。

见，他从另一条道路（参看他的《英国工人阶级的状况》）得出同我一样的结果，当1845年春他也住在布鲁塞尔时，我们决定共同阐明我们的见解与德国哲学的意识形态的见解的对立，实际上是把我们从前的哲学信仰清算一下。"①这就表明，马克思对恩格斯这两部著作对其影响的肯定。列宁对《国民经济学批判大纲》对马克思研究政治经济学的影响做了精辟的概括，他说："《政治经济学批判大纲》一文，从社会主义的观点考察了现代经济制度的基本现象，认为那些现象是私有制统治的必然结果。同恩格斯的交往显然促使马克思下决心去研究政治经济学，而马克思的著作使这门科学发生了真正的革命。"②科尔纽在《马克思恩格斯传》中对《国民经济学批判大纲》给予了高度评价。他认为"这篇文章对马克思的启发很大；它有力地推动了他的思想，帮助他克服了对资产阶级社会、无产阶级和共产主义的还有些抽象的理解。"③他认为恩格斯从人

---

① 《马克思恩格斯文集》第2卷，人民出版社2009年版，第592—593页。
② 《列宁选集》第1卷，人民出版社2012年版，第93页。
③ ［法］奥古尔特·科尔纽：《马克思恩格斯传》第1卷，管士滨译，生活·读书·新知三联书店1980年版，第621页。

类社会本质的一般论述，转向资产阶级社会的经济基础的更加深入的批判，而恩格斯的这种批判是同马克思对资产阶级的政治关系和社会关系的批判一致的。苏联学者阿·伊·马雷什也指出"恩格斯在青年时代写成的著作《政治经济学批判大纲》表明，马克思和恩格斯在彼此见面之前，他们思想上已经达到的接近程度。这部著作对马克思观点的发展有非常好的影响。如果不提这部著作就不可能解释清楚恩格斯对马克思主义宝库所作出的贡献"。①卡弗在其《马克思与恩格斯：学术关系》中研究了恩格斯早期思想的发展，并在对比中，指出恩格斯思想对马克思思想的影响。例如，他指出恩格斯在《国民经济学批判大纲》中关于"矛盾"的讨论在《资本论》中则获得了更深入和具体的讨论；恩格斯在《国民经济学批判大纲》中分析的地租、资本的利润和工资三个范畴，成为马克思《1844年经济学哲学手稿》中分析的三个范畴等。卡弗甚至认为《共产党宣言》中的思想主要是出自恩格斯《政治经济学批判大纲》和《英国工人阶级状况》中关于

---

① ［苏］阿·伊·马雷什：《马克思主义政治经济学的形成》，刘品大译，四川人民出版社1983年版，第45页。

英国和德国工业发展的材料及恩格斯其他文章。总之，马克思后期的思想很多都可以追溯至恩格斯早期的这两部著作。值得注意的是，在承认恩格斯青年时期对马克思思想的影响下，不能走向广松涉的极端，认为在马克思恩格斯合作的初期，恩格斯是第一小提琴手，认为恩格斯在共产主义和历史唯物主义上都起着主导作用。

毋庸置疑，恩格斯这部著作，对于马克思的影响是显而易见的，这也是学术界的共识。诚如梅林在评价《国民经济学批判大纲》时所言，"实际上，在他们年轻的时候，在应该进行并且确实进行了决战的那个领域内，恩格斯是给予者，而马克思是承受者"。[①] 这就反映了恩格斯对马克思思想发展的启示。黄楠森认为恩格斯的《国民经济学批判大纲》对马克思早期思想的形成具有促进作用。他指出："恩格斯的《国民经济学批判大纲》促使马克思把自己的世界观建立在更加坚实的基础之上，加速了

---

① ［德］弗·梅林：《马克思传》，樊集译，人民出版社1965年版，第124页。

马克思的思想成熟过程。"① 所以，在黄楠森看来，恩格斯早年的思想是比马克思成熟的，是恩格斯促进了马克思思想的成熟和发展。恩格斯的《国民经济学批判大纲》对马克思思想影响的研究可以从宏观和微观两个角度来考虑。

从宏观角度来讲，大家关注的是恩格斯对马克思提供的政治经济学的启发和创造的影响。有学者就指出，《国民经济学批判大纲》中所展现的辩证唯物主义的方法论以及阐明的政治经济学的基础理论都对马克思后来的《资本论》创作产生了深远的影响，如尹宣明就认为，"《国民经济学批判大纲》第一次运用唯物主义辩证法的基本原理分析资本主义的经济制度，是历史唯物主义研究方法的最初尝试，为《资本论》的创作提供了科学的方法论基础"，"在《国民经济学批判大纲》中，恩格斯提出了许多科学的政治经济学理论方面的闪光思想，这些思想，在马克思的《资本论》中得到了进一步的

---

① 黄楠森等编:《马克思主义哲学史》第1卷，北京出版社1991年版，第278页。

完善和发展"。①持相同观点的还有谈罗秋，通过对照《国民经济学批判大纲》研究资本主义的逻辑线索与《资本论》的逻辑结构，指出在"通过对照，不难发现作为马克思主义政治经济学起点的《国民经济学批判大纲》，与作为马克思主义政治经济学建成标志的《资本论》第1卷，在基本线索上是大体相同的，在结论上是完全一致的。这说明恩格斯在写作《国民经济学批判大纲》时，对资本主义经济范畴之间在逻辑上和历史上的联系是有一定了解的"。②姜海波也认为"当马克思是一个成熟的经济学家时，他仍然十分看重恩格斯的《国民经济学批判大纲》，还在《资本论》第1卷中4次引用恩格斯的论述来证明自己经济理论最重要的某些方面的结论。如果不精心研究恩格斯的《国民经济学批判大纲》就不可能完全理解恩格斯对马克思主义所做出的贡献"。③张当认为恩格斯的《国民经济学批判

---

① 尹宣明：《恩格斯的〈政治经济学批判大纲〉对〈资本论〉创作的影响》，载《安徽大学学报》1985年第3期。
② 谈罗秋：《〈国民经济学批判大纲〉对马克思主义政治经济学形成的影响》，载《岳阳师专学报》1985年第1期。
③ 姜海波：《恩格斯〈国民经济学批判大纲〉研究读本》，中央编译出版社2014年版，第98页。

大纲》引导了马克思的研究,但是不能认为早期的恩格斯超越了马克思。"从《大纲》出发,恩格斯对马克思具有一定的影响,但这种影响是有限的,并非是决定性的。"[1]所以在判断马恩关系时,一定要以文本和历史为依据,从社会历史角度来理解马恩的关系,才能真正理解马克思主义。

学术界对《国民经济学批判大纲》的研究经常采用比较的视野,将其与马克思的《资本论》对比,或者将其放在马克思主义政治经济学的发展历程中考虑,肯定其对马克思政治经济学研究的影响。

从微观上来讲,大家会关注《国民经济学批判大纲》涉及的具体范畴,例如学术界对价值范畴的讨论,会考虑其是否符合马克思的价值理论。这在上述价值范畴讨论中已经介绍过,主要观点分为三种:一是恩格斯的价值概念不符合马克思的劳动价值理论;二是恩格斯的价值概念与马克思的劳动价值理论是统一的;三是恩格斯的价值概念与马克思

---

[1] 张当:《马克思恩格斯早期学术思想关系探析——从〈国民经济学批判大纲〉出发》,载《湖南工业大学学报》(社会科学版)2017年第1期。

的劳动价值理论不完全相同，但是其中某些思想是马克思劳动价值理论的萌芽。政治经济学一直关注价值范畴，将恩格斯对价值范畴与马克思的价值理论进行比较研究，可以发现恩格斯的价值范畴相对不太成熟，但是这不能将其作为否定恩格斯的方式，恩格斯在《国民经济学批判大纲》中对价值范畴的理解肯定没有达到马克思在《资本论》中对价值理论理解的高度，也不能过分夸大。关于劳动价值论，马克思继承了古典政治经济学的合理因素，并在此继承上做出了自己的创新理解，所以想要了解马恩对价值范畴的理解，需要了解古典政治经济学的思想，并了解马恩思想产生的历史环境，不能仅仅比较两人的文本。

《国民经济学批判大纲》对马克思转向政治经济学的研究具有相当的推动作用，《英国工人阶级状况》则从另一方面对马克思的研究提供了重要的依据。这主要体现在三个方面。

一是从材料角度而言为马克思的论证提供了可靠的依据。如马雷什就认为，"可以在某种意义上把《资本论》在这一方面的内容特别是其中第一卷《工作日》、《机器和大工业》那几章看作是《英国工人阶级状况》的续篇。马克思在《资本论》中论述到工厂制度以及这一制度给工人阶级带来的严重后果时，不止一次地提到并引用国恩格斯写的书。他指出，恩格斯关于英国从大工业的出现到1845年这段时期的结论，完全为后来发表的调查和考察报告所证实"。① 恩格斯的《英国工人阶级状况》一书不同于其他的著作，这部著作是基于实证调查的材料写就的，里面有翔实的材料，基于恩格斯的亲身经历，并且有大量的报刊资料作为支撑，所以里面很多的材料都成为后来马克思写作的材料支撑。

二是从社会主义角度而言，恩格斯思想进一步深化了马恩关于无产阶级历史使命的思想。诚如黄楠森先生所指出的，"恩格斯通过对产业革命的考察，通过对资产阶级社会中阶级关系及其相互斗争的变化和发展的研究，具体地从经济上论证了无产阶级的历史使命"②，而这一思想也是对之前马恩合著的《神圣家族》中关于无产阶级历史使命论证的

---

① ［苏］阿·伊·马雷什：《马克思主义政治经济学的形成》，刘品大译，四川人民出版社1983年版，第128页。
② 黄楠森等编：《马克思主义哲学史》第1卷，北京出版社1991年版，第409页。

进一步深化，并提供了政治经济学的依据。持相同观点的还有苏联学者罗森别尔格，他认为在《神圣家族》中关于私有制和无产阶级被视为对立的统一的思想，在《英国工人阶级状况》中得到全面深入的体现，"关于私有制和无产阶级的对立和关于将由工人阶级完成的未来的社会主义革命的必然性的思想，昭然贯穿着恩格斯的整本书。恩格斯全面地描述了工人阶级的艰难处境，认为无产阶级不仅是社会上最受苦最受压迫的一部分，而且还是不安于资产阶级为它造成的处境、争取摆脱资本压迫的、社会上最革命的那一部分"①，从而认为无产阶级的历史使命就是反抗资本主义的压迫，建立新的社会，这就使得恩格斯与空想社会主义区别开来。

三是从历史唯物主义角度，恩格斯以自己的方式走向了历史唯物主义，使得马恩在更高层次上的思想对话成为可能，而这也是马恩成为终身挚友的思想根基。朱传启在其著作《马克思恩格斯哲学思想比较研究》中就指出"恩格斯通过对英国社会经济和工人阶级的状况的研究，以及他在政治实践中

---

① [苏]罗森别尔格：《十九世纪四十年代马克思恩格斯经济学说发展概论》，方钢译，生活·读书·新知三联书店1958年版，第177页。

的成功活动,使他取得了马克思通过哲学和历史的研究所得到的成就和结论。他们研究的具体对象和方式,虽然有所不同;但他们二人研究的目标和目的,以及所得到的结论都是完全一致的",① 沈亚生提出了马恩两人分别以科学理论的方式和本质直观的方式走向了唯物主义,但是之后又合二为一。对此时马恩的思想状况,科尔纽进行了详尽的分析,在他看来"在对英国状况的分析中用来作为基础的这些历史唯物主义的一般原理,并不像马克思在《关于费尔巴哈的提纲》中所做的那样,是被系统地表述出来的。这说明从理论的观点来看,恩格斯还没有达到马克思已经达到的那种水平",② 即使恩格斯还没有做到使他的工作成果具有和马克思同样的概括性和理论性,但是他对经济状况和社会问题之间的关系所做的分析,却比马克思的要精确得多。马克思那时已经达到了世界是物质的这样的普遍观念,认识到历史本质上是由人的生产活动的发

---

① 朱传启等:《马克思恩格斯哲学思想比较研究》,河南人民出版社1995年版,第53页。
② [法]奥古尔特·科尔纽:《马克思恩格斯传》第3卷,管士滨译,生活·读书·新知三联书店1980年版,第139页。

展构成的，人的生产活动在自行改变的同时，人也为了使之满足自己的需要而在改变自然，但是，马克思并没有像恩格斯那样清楚地看到，生产力的发展怎样决定经济、社会、政治和意识形态的状况。

由此可见，恩格斯早期的著作对马克思转向政治经济学研究具有重要的贡献，在马克思主义发展史上具有重要的地位。恩格斯对马克思思想的影响是显而易见的，马克思之所以可以直接进入私有财产的研究，正是由于恩格斯的启示。当然恩格斯对私有制的批判还停留在交换领域还没有深入生产领域，马克思对私有制的批判深入了生产领域。从两者学术思想发展来看，恩格斯一开始就关注经济领域，马克思是从上层建筑的研究中逐渐意识到经济基础的重要性，两个人就是在对经济基础出发来理解社会现实和认同解决社会矛盾的主体是工人阶级的观点上达成了一致，才共同为马克思主义理论的形成和丰富发展做出贡献。

五、专题问题

恩格斯的《国民经济学批判大纲》和《英国工人阶级状况》都是立足于社会现实生活的，里面涉及很多方面的内容。学界立足于现代社会的发展，主要挖掘了其中关于城市空间、环境问题、道德问题、科技思想和社会学价值等思想，并在此基础上介绍了恩格斯思想对现代社会发展的意义。

（一）城市空间

《英国工人阶级状况》中通过对工人产生、城市化过程的描述也隐含着空间生产的思想。周文认为恩格斯在《英国工人阶级状况》一书中，通过城市将资本主义的发展与工人阶级的形成发展连接起来。他认为"恩格斯的《英国工人阶级状况》开辟了马克思主义研究对城市空间的分析"，"恩格斯认为，工厂生产方式促进大城市的形成和专业化；工人住宅区体现出大城市的空间隔离特征；城市激发了工人的阶级意识和政治能动性"。[①] 在《英国工人阶级状况》这本书中，恩格斯详细考察了19世纪中期以英国为代表的大城市的发展特征，并且讨论了一系列城市问题。例如工业城市的形式，工厂的区位选址、城市住宅规划、城市规划等。恩格斯对城市空间的描述与对工人阶级的生活是密不可分的。

---

① 周文：《恩格斯〈英国工人阶级状况〉中的城市思想》，载《教学与研究》2016年第6期。

周文指出:"城市空间思想在恩格斯对工业革命的分析中清晰可见",在前工业时代,劳动者是与城市隔离的,农民是不会离开农村走向城市的;在工业革命的带动下,人口逐步集中形成工业城市,并最终产生了专业化城市;交通基础设施的建设也连接了大城市,使得城市之间的距离缩短。城市中住宅存在严格的分区和隔离,工人区和资产阶级住宅区呈现完全不同的景象,城市的工人区可以被称作"人间地狱"。城市使得工人阶级集聚,并且使得他们成为有产者的幻想破灭,但是也使得他们认清到自己的身份,明白自身联合的力量。可以说,恩格斯在《英国工人阶级状况》中对城市空间的描述分析对20世纪的城市社会学研究仍有一定的指导作用。王文东和赵艳琴认为:"'空间生产'概念尽管首次出现在列斐伏尔的《空间的生产》一书中,但实际上在恩格斯的《英国工人阶级状况》一书中,在揭示工业城市的兴起、人口的空间集中、城市住宅、工厂环境、城市污染等问题时,已经隐含着'空间的生产'思想。"[①] 他们认为恩格斯空间生产思想第一

---

① 王文东、赵艳琴:《〈英国工人阶级状况〉中的空间生产与空间正义思想解读》,载《苏州大学学报》(哲学社会科学版)2016年第4期。

体现在描述工业城市的兴起,因为工业城市的大量生产是空间生产的最主要的形式,第二体现在人口的空间集中上,因为人口是随着工业及城市的空间生产而实现空间集中的。第三体现在农业生产空间的再造,在科学技术的影响下,农业也发生了变革。第四体现在交通工具的革新开辟了新的社会空间,交通工具的革新使得资本全球扩张成为可能。当然恩格斯在这里还揭示了空间发展的非正义性,指出了城乡二元对立和城市工人的生活和工作空间环境的极度恶化。他们认为恩格斯在《英国工人阶级状况》中主要揭示了空间生产和发展的非正义性,例如恩格斯揭示了城乡隔绝,城乡对立的加剧;城市工人生活和工作场所等空间环境的极度恶化;等等。王欢认为,恩格斯揭示的城市聚集、城市空间隔离分化的压迫对分析当今世界范围内城市问题具有不可或缺的当代价值。恩格斯对城市形成和发展的论述中对城市的聚集效应做出了分析,一是生产要素的聚集,二是工人的聚集,三是财富的聚集。当然城市空间还是一个充满分化和压迫的地方,城市区域是隔离的,不同的区域居住的人群还不同,资本家和工人的生活环境是完全不同的。王欢指出恩格斯的城市空想思想提醒了当下的城市空间发展需要注意遵循城市空间正义，避免城市空间的隔离分异；要实现城乡空间正义，促进城乡一体化发展。① 许晶则理论联系实际，从《英国工人阶级状况》的城市思想出发，探索我国城市空间治理的价值理念。她分析了恩格斯对资本主义工业城市的空间非正义的批判，指出城市人口的集聚和空间的资本化会造成空间矛盾，资产阶级和工人阶级的身份造成了城市空间的隔离，资本逻辑下会造成权益的丧失和正义的缺失。接着她回顾了我国城市治理进程中的空间挑战，最后借鉴恩格斯的空间思想来试图回应这些挑战。② 刘云杉从空间视角入手，分析了恩格斯的空间批判思想。他指出："在《状况》一书中，恩格斯立足于资本主义发展与扩张的历史与现实，批判了资本主义对空间的占有、生产和价值的改造。"③ 工业革命以来，资本主义生产方式就逐渐侵占城市和

---

① 王欢：《恩格斯城市空间思想及其当代意义》，载《社会科学家》2016年第11期。
② 许晶：《城市空间治理的价值理念探索——读恩格斯〈英国工人阶级状况〉》，《太原理工大学学报》(社会科学版) 2017年第4期。
③ 刘云杉：《〈英国工人阶级状况〉的空间批判思想及其当代价值》，载《哈尔滨师范大学社会科学学报》2009年第1期。

乡村的空间，城市成为资本主义生产方式最典型的空间载体。资本主义的空间生产则意味着两极分化的不断再生产，此外，无产阶级的生存空间受到了威胁，同时也是在这种威胁中，无产阶级意识到改变自己命运的重要性。可见，学界对恩格斯的城市空间思想的讨论主要是对城市空间的差异、城乡差异，还有对资本主义条件下城乡非正义的揭示，并试图运用恩格斯的思想分析当下的现实问题。

恩格斯在《英国工人阶级状况》中主要目的还是揭示工人阶级的生活状况，从而揭示资本主义制度对工人阶级的剥削，论证了无产阶级革命的必然性。工人的生活状况是恩格斯一直关心的，也是促使他写这部著作的原因之一。恩格斯根据自身的考察和官方的材料，在《英国工人阶级状况》中指出了城市是如何产生发展的，城市人口是如何集聚的。他指出"工业的迅速发展产生了对人手的需要；工资提高了，因此，工人成群结队地从农业地区涌入城市。人口急剧增长，而且增加的几乎全是无产者阶级"。[1] 所以城市的人口不少于四分之三是

---

[1] 《马克思恩格斯文集》第 1 卷，人民出版社 2009 年版，第 402 页。

工人阶级。人口的集聚、建筑物形式的影响，造成了城市空气的恶劣，所以工人阶级基本上都不能健康和长寿。城乡的差异、城市人口的集聚、工人住宅区的描述都成为恩格斯城市空间思想的内容。笔者认为，虽然恩格斯并没有很明确的城市空间思想，但是其对英国城市的介绍和对工人阶级生活区域的描述，都可以成为城市空间思想的来源。国内学界对这方面的研究成果不是很多，之后可以深入研究。

（二）环境问题

随着人类对环境问题的重视，恩格斯《英国工人阶级状况》中对环境问题的揭示也就进入了学界讨论的视线。学界对环境问题的揭示与城市空间、工人阶级的工作生活是密不可分的。

梅雪芹就从环境史的角度重读了《英国工人阶级状况》，在她看来"恩格斯在书中充分揭示了工业革命时期英国城市的主要环境问题，即工人住所与工作场地的恶劣状况、河流污染和空气污染等，它们是伴随工业化、城市化而生的"[①]。她指出恩格

---

① 梅雪芹：《从环境史角度重读〈英国工人阶级的状况〉》，载《史学理论研究》2003年第1期。

斯所揭露的英国的灾难主要表现在三个方面，一是工人住所与工作场地的环境状况很恶劣，这部分的内容在恩格斯的著作中占的篇幅很大。二是河流污染，恩格斯揭示了由于经济增长所造成的河流与空气污染问题。工业革命以来，不断排放的工业废水和城市的生活污水不断污染了英国的很多河流。三是空气污染，恩格斯描绘了伦敦、曼彻斯特和波尔顿的场景，可见空气污染已经严重影响了人们的生活。恩格斯不仅描述了三大环境危害的表现，还分析了其产生的原因。工业革命时期，工厂依河而建，生活在河边的主要是工人阶级，造成河流污染的主要原因就是工业污染。城市化进程的加速，人口的快速集聚，使得城市的公共卫生堪忧，全社会形成了追求财富的风气，使得人们只关心经济效益，而忽视生态效益和社会效益，甚至牺牲生态效益和社会效益来实现经济效益，那个时代的环境与那个时代的社会取向密切相关。此外，恩格斯还剖析了爱尔兰人的生活习性。不爱清洁的习惯是爱尔兰人的第二天性，在城市人口集聚的地方，就会引发环境卫生问题。梅雪芹认为从环境史角度来看，"《英国工人阶级状况》既为考察世界历史上的环境问题留下了弥足珍贵的史料,又阐发了富于启发性的观点,是一部关于英国环境问题的经典文献。经典的作用恰在于它为后人提供了认识现实问题的经久参照"。① 因此,不可忽视恩格斯提供的丰富的环境史料和批判性的分析。从城市理论的角度,人们主要关注的是城市化带来的生态问题。比如周文在提到城市中住宅区的时候,就提到高等资产阶级通常住在郊外或者空气流通的高地上,而工人则住在城市中。住宅周围的环境状况可以反映出阶级差别,工人区的环境状况恶劣,资产阶级住宅区环境较好。工人区的生活环境肮脏令人作呕,而且街道狭窄弯曲,河流充满了污泥和废弃物。城市化带来的不仅仅是城市的发展,还有城市生态环境的恶化和工人生活环境的恶劣。不仅如此,工人的饮食条件、健康状况也受到城市生活区的影响,遭到了前所未有的挑战。何小玲也认为,"恩格斯的《英国工人阶级状况》从一个侧面详细描述和研究了英国工业化早期自发的城市化及其严重的生态问题与根

---

① 梅雪芹:《从环境史角度重读〈英国工人阶级的状况〉》,载《史学理论研究》2003年第1期。

源探讨"。① 她认为《英国工人阶级状况》中恩格斯已经亲自调查和记录了城市化历史轨迹,并且指出了英国早期城市生态问题的制度根源。蒸汽机引导的第一次工业革命是城市生态问题的直接原因,城市化引起的人口暴涨是生态问题的主要原因,资本主义的私有制是造成城市生态问题的根本原因。解保军和杜昀谦认为不能把《英国工人阶级状况》仅仅看作一个当时英国工人生存环境的调查报告,而应该将其看成从生态环境角度批判资本主义、批判资本主义生产方式的第一篇檄文。他们认为恩格斯的著作主要是批判了资本主义的城市病,揭示了工人恶劣的生存环境,并对此进行了批判,进而揭示出资本无情的本性。黄瑞祺和黄之栋认为恩格斯在《英国工人阶级状况》中主要集中考察人如何被资本主义摧残,但是恩格斯并没有忽视自然环境的描述。"对于19世纪的人与自然,恩格斯都作了生动的描述。他具体指出了受到工业污染的自然,如何对人进行反扑,使人受害。除了对人的自然与(自然的)自然进行调查之外,这个时期的恩格斯也

---

① 何小玲:《工业化初期城市生态问题一瞥——重读恩格斯〈英国工人阶级状况〉有感》,载《理论视野》2014年第6期。

对'人类社会—自然环境'两者之间的关系作了细腻的描写。"①也就是说,恩格斯已经从社会层面来分析环境问题产生的原因。生态学马克思主义者福斯特和克拉克曾在一篇文章中写道:"《英国工人阶级状况》不仅仅是简单的一个调查,它更是一个关于英国资本主义的阶级关系与物质条件的系统的历史的研究。""通过恩格斯的工作,我们得以理解因为存在这样一个体系,所以才产生了无穷无尽的污染,毒害了工厂与社区的工人,并且这个体系保证穷人持续的受到最严重的环境退化的毒害。"②可见,生态马克思主义学者认识到了资本主义制度是生态危机的根源。《英国工人阶级状况》是马克思主义生态学和生态马克思主义的经典著作。

恩格斯的《英国工人阶级状况》这本书中对工人阶级生活环境的描述可以反映当时的生态环境,恩格斯的出发点是揭露工人阶级生活状况的恶劣,揭露资本主义生产给工人在身体和精神上造成的消

---

① 黄瑞祺、黄之栋:《恩格斯思想的生态轨迹》,载《鄱阳湖学刊》2010年第2期。
② 张剑:《生态文明与社会主义》,中央民族大学出版社2010年版,第60—61页。

极影响，从而进一步批判资本主义私有制。当时，生态环境的恶化并不是社会的主要问题，所以并不能引起大家的重视。当下，生态环境恶化，城市的生态环境尤为突出，挖掘恩格斯著作中的生态思想，揭露资本主义条件下对生态环境的破坏，具有一定的现实意义。但是对于《英国工人阶级状况》而言，我们可以充分利用恩格斯给我们提供的材料，不可过分夸大生态思想在这篇著作中的作用。

（三）道德问题

恩格斯在这两部著作中都提到了道德思想，虽然不是主要内容，但是已经揭示出了人们道德堕落的根本原因。姜海波指出，恩格斯在《国民经济学批判大纲》中试图证明私有制使人堕落到严重的地步，因为竞争已经渗透到了全部关系中，造成了人们之间相互奴役的状况。此外，恩格斯还指出了资本主义制度产生了犯罪的需求，一些人刚刚被释放或惩罚，另一些人就会被逮捕、放逐或处死。这主要通过介绍私有制和竞争对道德领域的侵犯，使得人们道德堕落，分不清善恶。此外，当《国民经济学批判大纲》中涉及"道德"这个词时，更多的学者将其视为恩格斯受到费尔巴哈人本主义影响的一种表现。刘戎认为在《英国工人阶级状况》中,恩格斯指出了资产阶级的贪婪和无情并与工人的仁慈形成对比。恩格斯对工人阶级道德情感的揭示是基于当时工人阶级的悲惨状况的,恩格斯认为工人阶级本来具有人类可能的最美好的道德情感,那是一种继承人类道德遗产、消除阶级偏见的高贵情感。可是,在资本主义制度的压迫下,工人的精神受到了压迫,工人中也存在酗酒、纵欲和偷盗等违背社会公德的道德沦丧的现象。工人想要获得道德解放就需要伟大的社会变革。[1]除此之外,刘戎还从工人阶级道德的角度解读《英国工人阶级状况》,并指出了当代中国工人阶级的道德现状和出路。在他看来,恩格斯在《英国工人阶级状况》中,"是基于当时工人阶级的悲惨状况启发他们的道德情感的"[2],这种情感就是要为了改变自己的现状而起来反抗资本主义,只有这样才能获得自己的尊严。刘星认为,恩格斯的《英国工人阶级状况》中揭示了英国工人阶级和资产阶级的道德面貌,并揭示了其产生的原因和发展的基本规律。他认为这部著作

---

[1][2] 刘戎:《从恩格斯〈英国工人阶级状况〉论当代中国工人阶级的道德现状与认同》,载《江苏社会科学》2012年第2期。

中蕴含了丰富的伦理思想,以阶级伦理思想为例,恩格斯通过比较资产阶级和工人阶级的道德面貌,进而揭示了资产阶级的伪善性和工人阶级的优良道德受到了压迫,这就启示现在的社会完善现行制度。① 上述三位学者都是从道德的阶级性来探讨《国民经济学批判大纲》与《英国工人阶级状况》所体现出来的道德思想,但是对于资本主义的批判,恩格斯不是站在道德的立场上的,如科尔纽所言,恩格斯对于资本主义的批判,"不是直接地站在纯道德的观点上,而是站在历史的观点上,力图指出共产主义如何必然从这一制度的辩证的对立中产生出来",② 只有深刻地揭示出这种堕落的道德产生的私有制的根源,才能够阐明资本主义道德的产生和发展。

与上述两位学者不同,高兆明则从商业道德的角度研究《英国工人阶级状况》,他认为,恩格斯在《英国工人阶级状况》中揭露了当时英国广泛

---

① 刘星:《简论〈英国工人阶级状况〉的阶级伦理思想》,载《南昌大学学报》(人文社会科学版)2006年第6期。
② [法]奥古尔特·科尔纽:《马克思恩格斯传》第3卷,管士滨译,生活·读书·新知三联书店1980年版,第609—610页。

存在的工厂主与工人的尖锐独立,这种尖锐的独立以及其在商业活动中存在的欺诈等丑陋现象,从而说明了自己的商业道德思想,"根据恩格斯的看法,良好的商业道德与市场经济伦理秩序并不是与生俱来的东西,而是一种随着现代社会发展而逐渐确立的现代性社会的产物"。① 这种从商业道德的角度探讨恩格斯的《英国工人阶级状况》,一方面可以展现出恩格斯对于良性市场秩序的期许;另一方面,这种探讨还是应该放置在一定的社会历史条件内进行,经济条件的变化对于道德也相应地提出了更高的要求。

恩格斯在《英国工人阶级状况》中既揭示了工人阶级道德堕落的情况,也揭示了他们善良的一面。恩格斯指出"工人的整个状况和周围环境都强烈地促使他们道德堕落"②。"使英国工人沦为无产者的那种情况,对他们的道德所起的破坏作用比贫穷还要厉害得多。"③ 也就是说无产阶级的自身状态,

---

① 高兆明:《主观善、客观善与商业道德——重读恩格斯〈英国工人阶级状况〉1892年序》,载《浙江社会科学》2004年第1期。
② 《马克思恩格斯文集》第1卷,人民出版社2009年版,第428页。
③ 《马克思恩格斯文集》第1卷,人民出版社2009年版,第429页。

外界对其的压迫使得他们没法获得道德教育，他们的生活方式使得他们只能堕落下去。但是工人也是仁慈的，这表现在各个方面。因为他们自身的命运是多磨难的，所以他们可以同情和他们境遇差不多的人。所以在恩格斯的眼中，无产者本身并不存在道德问题，只在于外界资本主义的压迫。但是资产阶级虽然接受过道德教育，表面上有道德，实际上他们却成了"卑鄙龌龊的'拜金者'"。[①]因而，恩格斯在《英国工人阶级状况》中的道德思想主要还是对资产阶级虚伪性的揭示，从而进一步批判资本主义制度。

（四）科技思想

虽说科学技术不是恩格斯这两本著作的主要思想，但是也不可忽视恩格斯对科学技术的看法，这对当下对科学技术的研究和思考有一定的启发意义。姜海波认为恩格斯在《国民经济学批判大纲》中揭示了资本主义经济与科技的关系。他指出："在第（15）节，也就是在最后一节中，恩格斯指出，资本和土地有一个特殊的优越条件，那就是可

---

① 《马克思恩格斯文集》第1卷，人民出版社2009年版，第439页。

以利用科学，而工人却无法做到这一点，因此，在私有制条件下，科学也是用来反对劳动的。"① 也就是说，在资本主义私有制的条件下，科学可以为资本主义生产服务。科学技术的应用、机器的诞生可以减少对劳动力的需要，所以科学反而成了资本主义私有制的帮凶，使得大量的工人失业和工资降低。当然科学也可以促进生产力的发展，并且拓展其他领域的劳动力需求，但是工人从一个领域向另一个领域过渡，需要一定的时间。所以，从根本上而言，资本主义社会中，科技的发展是为了资本主义经济的发展。曾静认为"恩格斯在《国民经济学批判大纲》中揭示了马尔萨斯人口论的虚伪性，指出科学同生产力和人口之间真正的关系"，② 恩格斯认为仅仅一门化学就曾给19世纪的农业带来了翻天覆地的变化，科学也是按几何级数发展的。恩格斯还谈到了产业技术水平的标志——机器对工人就业的影响。恩格斯肯定了机器对工业发展的作用，

---

① 姜海波：《恩格斯〈国民经济学批判大纲〉研究读本》，中央编译出版社2014年版，第85页。
② 曾静：《马克思恩格斯的科学技术思想及其当代价值》，南开大学博士学位论文2014年。

但是它却成了排斥和限制工人的方式,科学技术成为资本家镇压工人反抗和巩固其政治统治的最有力武器。恩格斯在《英国工人阶级状况》中,将技术的社会功能总结为三点,首先,技术开拓了世界市场;其次,技术推动社会生产方式的变革;最后,机器的资本主义应用对英国工业无产阶级生活状况的影响。这两部著作的科技思想虽然分散,但是已经指出了资本主义制度对异化产生的根源性,为恩格斯今后对科技展开更深入的研究奠定了一定的基础。[1] 晏湘涛和张华认为,恩格斯不仅强调了科学技术是社会发展的强大动力,还指出了正确发挥科学技术有赖于根本的社会变革。他们还结合生态环境问题,指出恩格斯揭示了科技在资本主义制度是生态破坏的根本原因,利用科学技术来构建生态文明必须变革社会制度。[2] 可见,恩格斯在这两部著作中已经揭示出了科学技术的两面性,重点强调了技术在资本主义社会中只能为资本增殖服务,这对

---

[1] 曾静:《马克思恩格斯的科学技术思想及其当代价值》,南开大学博士学位论文 2014 年。
[2] 晏湘涛、张华:《恩格斯〈国民经济学批判大纲〉中的科技思想探析》,载《佛山科学技术学院学报》(社会科学版)2015 年第 5 期。

工人造成了一定的伤害。由于机器的大量发明，分工越来越多，"一个工人只有在一定的机器上被用来做一定的细小的工作才能生存，成年工人几乎在任何时候都根本不可能从一种职业转到另一种新的职业"。① 因此，想要使得科学技术为人民服务，只能进行社会制度变革。

这两部著作中所体现出来的科技思想，也是为我们当代社会发展所重视的。恩格斯在《国民经济学批判大纲》中驳斥马尔萨斯的人口论时指出"科学发展的速度至少也是与人口增长的速度一样的；人口与前一代人的人数成比例地增长，而科学则与前一代人遗留的知识量成比例地发展"，② 而科技的发展将会极大地满足人们的物质文化需求。但他在《英国工人阶级状况》中则又指出，"机器劳动在英国工业的各主要部门战胜了手工劳动，从那时起，英国工业的全部历史所讲述的，只是手工业者如何被机器驱逐出一个个阵地"，③ 伴随着科技的发展，机器的普及，"一方面是一切纺织品迅速跌价，商业

---
① 《马克思恩格斯文集》第1卷，人民出版社2009年版，第86页。
② 《马克思恩格斯文集》第1卷，人民出版社2009年版，第82页。
③ 《马克思恩格斯文集》第1卷，人民出版社2009年版，第393页。

和工业日益繁荣，一切没有实行保护关税的国外市场几乎全被占领，资本和国民财富迅速增长；另一方面是无产阶级的人数更加迅速地增长，工人阶级失去一切财产，失去获得生计的任何保证，道德败坏，政治骚乱"。① 一方面是科技给人类生存问题的解决带来福祉，另一方面却又加重了作为大多数的无产阶级的苦难；一方面是发展人的手段，另一方面却又是限制人的工具。科技的二重性也是资本主义社会自身矛盾的展现。只有推动社会制度的变革，改变生产资料的私有制，建立公有制，使最广大的人民成为社会的真正主人，人类才能真正感受到科技的进步，并在这种进步中获得全面而自由的发展。

（五）社会学价值

《英国工人阶级状况》是恩格斯根据自己在英国深入社会底层，广泛接触工人阶级形成的第一手的调查资料基础上整理写成的。从社会学视角来看，它是第一部马克思主义的实证调查研究报告。从社会学的视角研究《英国工人阶级状况》也是国内学术界的一大特点。

---

① 《马克思恩格斯文集》第1卷，人民出版社2009年版，第393页。

通过实地调查的本质直观走向唯物史观，是学术界对《英国工人阶级状况》特点的概况和对恩格斯走向唯物史观方式的概括。沈亚生认为，通往唯物史观有两条道路：第一条是科学理论的方式，通过理论研究和科学抽象的方式，找到新思想、新原则和理论方向。第二条就是通过实地考察的感性、具体的事实阐述。而恩格斯走向唯物史观就是第二条道路，这条道路体现的社会调查的本质就在于本质直观，"这本书表明了唯物史观不仅是一种理论和逻辑的科学，更重要的是一种对社会变迁的本质直观。这样的直观不是从学院式研究出发，而是从生活实践的体验出发，是面向事实本身所达到的意识形态"。①

国内学界以社会学视角研究《英国工人阶级状况》有两大特点：一是研究《英国工人阶级状况》中所贯穿的社会调查方法。周亮勋在 1985 年就率先指出，《英国工人阶级状况》是一部通过调查研究来获得科学理论的著作，它的历史地位是详尽的调研研究的结果。恩格斯深入工人住宅区，调查了

---

① 沈亚生：《社会历史发展的本质直观——重读恩格斯的〈英国工人阶级的状况〉》，载《党政干部学刊》2012 年第 11 期。

他们的生活状况，并且阅读了大量的著作和调查报告。舒小昀指出，恩格斯通过实地调查和亲身观察完成《英国工人阶级状况》的写作。恩格斯通过实地调查获得工人阶级的第一手材料，此外还有他自身的亲身经历可以提供直接印象。不仅如此，为了避免出现资本家和工厂主造成的假象，恩格斯还会查英国的官方和非官方的报告，各种统计文献和档案资料。正是在各种方法的结合下，恩格斯才顺利完成写作。金依群认为，《英国工人阶级状况》是恩格斯第一次试图用历史唯物主义的宏大叙事运用于社会调查研究，这一整套系统调查研究方法主要有"1.典型抽样与普遍调查辩证结合的方法；2.静态分析与动态研究辩证结合的方法；3.分析与综合相统一的方法"。[①] 二是以发展社会学的视角研究《英国工人阶级状况》，恩格斯在《英国工人阶级状况》中不仅仅写了英国工人阶级的状况，而且也从侧面反映了作为第一个工业化国家走向现代化的过程，这一现代化过程所展现出来的优势与劣势，也可以为后发现代化国家所借鉴和吸收。张秋

---

① 金依群：《试论〈英国工人阶级状况〉的方法论特色》，载《社会》1985年第1期。

俭就以发展社会学的视角检视恩格斯在《英国工人阶级状况》中的预言，指出恩格斯"对产业革命的第一个'完备的典型式'的英国工人阶级状况进行了二十一个月直接深入调查，具体揭示了从产业革命中分化出的两个利益冲突的对立阶级：现代产业无产阶级与现代产业资产阶级。从对这种新的阶级之间的关系的分析中，恩格斯第一次认识到了生产力与生产关系的相互关系"[1]，而这种关系一方面是由于现代化的发生而产生，另一方面也将会随着现代化的发展而日益尖锐。英国走向现代化道路面临的问题，也为后面走英国模式的现代化道路的国家所面对。诚如恩格斯在德文第二版序言中指出的，"现代大工业已经在如此大的程度上使所有出现了这种工业的国家的经济关系趋于平衡，以致我要向德国读者说的和要向美、英两国读者说的几乎没有什么两样了"[2]，作为工人阶级政党，特别是在领导后发国家的现代化建设的过程中，更是要吸取和借鉴英国走向现代化模式过程中的经验。

---

[1] 张秋俭：《世界现代化进程中社会矛盾的变迁——从〈英国工人阶级状况〉说起》，载《社会学研究》1995年第5期。
[2] 《马克思恩格斯文集》第1卷，人民出版社2009年版，第365页。

恩格斯《英国工人阶级状况》的副标题就是根据亲身观察和可靠材料，也就是社会学的实证研究。恩格斯在《英国工人阶级状况》中积累的材料，对目前社会学研究者来说都是宝贵的财富，也是社会学工作者的榜样。笔者认为，不能简单地将历史唯物主义等同于实证科学，但是实证科学的研究成果可以为历史唯物主义服务。恩格斯选取英国作为案例分析的典型，这种分析方法值得社会学工作者借鉴。总之，在社会学意义上而言，恩格斯的《英国工人阶级状况》可以视为马克思主义社会学的代表性著作，也反映了马克思主义的科学性。

参考文献

1. 《马克思恩格斯文集》第1卷，人民出版社2009年版。
2. 《马克思恩格斯文集》第2卷，人民出版社2009年版。
3. 《马克思恩格斯全集》第27卷，人民出版社1972年版。
4. 《列宁选集》第1卷，人民出版社2012年版。
5. 《恩格斯和马克思主义》，中国人民大学出版社1985年版。
6. 《普列汉诺夫哲学著作选集》第3卷，生活·读书·新知三联书店1962年版。
7. [苏]阿·伊·马雷什：《马克思主义政治经济学的形成》，刘品大译，四川人民出版社1983年版。
8. [苏]罗森别尔格：《十九世纪四十年代马克思恩格斯经济学说发展概论》，方钢译，生活·读书·新知三联书店1958年版。
9. [苏]列·阿·列昂节夫：《恩格斯在马克思主义政治经济学形成和发展方面的作用》，方钢等译，中国人民大学出版社1982年版。
10. [德]弗·梅林：《马克思传》，樊集译，人民出版社1965年版。
11. [德]海因里希·格姆科夫：《恩格斯传》，易廷镇等译，生活·读书·新知三联书店1980年版。

12. [法]科尔纽：《马克思恩格斯传》第1卷，刘磊等译，生活·读书·新知三联书店1963年版。

13. [法]科尔纽：《马克思恩格斯传》第3卷，管士滨译，生活·读书·新知三联书店1963年版。

14. [日]望月清司：《马克思历史理论的研究》，韩立新译，北京师范大学出版社2009年版。

15. [日]山之内靖：《受苦者的目光早期马克思的复兴》，彭曦等译，北京师范大学出版社2011年版。

16. 孙伯鍨：《马克思主义哲学史》，山西人民出版社1982年版。

17. 商德文等：《恩格斯经济思想研究》，北京出版社1985年版。

18. 黄楠森主编：《马克思主义哲学史》第1卷，北京出版社1991年版。

19. 朱传启：《马克思恩格斯哲学思想比较研究》，河南人民出版社1995年版。

20. 胡大平：《回到恩格斯文本、理论和解读政治学》，江苏人民出版社2011年版。

21. 姜海波：《恩格斯〈国民经济学批判大纲〉研究读本》，中央编译出版社2014年版。

22. 舒晓昀等编著：《恩格斯〈英国工人阶级状况〉研究读本》，中央编译出版社2017年版。

23. 张剑：《生态文明与社会主义》，中央民族大学出版社2010年版。

24. 张湫、孙荣：《〈政治经济学批判大纲〉的哲学性质》，载《理论界》2014年第4期。

25. 张一兵：《政治经济学逻辑中的政治哲学颠覆——青年恩格斯的〈政治经济学批判大纲〉解读》，载《求实》1998年第6期。

26. 何钢：《关于恩格斯〈政治经济学批判大纲〉中的价值理论》，载《理论探索》1985年第5期。

27. 罗郁聪、陈其林：《马克思恩格斯价值命题的比较研究——兼论〈政治经济学批判大纲〉中价值命题的现实运用》，载《学术月刊》1987年第9期。

28. 彭勋：《无产阶级政治经济学的开篇章——纪念恩格斯〈政治经济学批判大纲〉发表140周年》，载《经济研究》1984年第5期。

29. 王惟中、洪大璘：《怎样理解"价值是生产费用对效用的关系"？》，载《经济研究》1981年第3期。

30. 张德林：《论〈政治经济学批判大纲〉对马克思主义政治经济学形成的意义》，载《吉林大学社会科学学报》1985年第4期。

31. 张雷声：《马克思主义经济思想史上的第一篇重要文献——读恩格斯的〈国民经济学批判大纲〉》，载《甘肃社会科学》

2014年第5期。

32. 杨致恒：《试论〈政治经济学批判大纲〉中的价值理论》，载《财经科学》1984年第6期。

33. 黄仲熊、曾启贤、汤在新：《恩格斯〈政治经济学批判大纲〉一书中的价值理论》，载《经济研究》1963年第11期。

34. 沈亚生：《社会历史发展的本质直观——重读恩格斯的〈英国工人阶级的状况〉》，载《党政干部学刊》2012年第11期。

35. 金依群：《试论〈英国工人阶级状况〉的方法论特色》，载《社会》1985年第1期。

36. 张秋俭：《世界现代化进程中社会矛盾的变迁——从〈英国工人阶级状况〉说起》，载《社会学研究》1995年。

37. 曾静：《马克思恩格斯的科学技术思想及其当代价值》，南开大学博士学位论文2014年。

38. 晏湘涛、张华：《恩格斯〈国民经济学批判大纲〉中的科技思想探析》，载《佛山科学技术学院学报》（社会科学版）2015年第5期。

39. 高兆明：《主观善、客观善与商业道德——重读恩格斯〈英国工人阶级状况〉1892年序》，载《浙江社会科学》2004年第1期。

40. 刘星：《简论〈英国工人阶级状况〉的阶级伦理思想》，载《南昌大学学报》（人文社会科学版）2006年第6期。

41. 刘戎：《从恩格斯〈英国工人阶级状况〉论当代中国工人

阶级的道德现状与认同〉，载《江苏社会科学》2012年第2期。

42．梅雪芹：《从环境史角度重读〈英国工人阶级的状况〉》，载《史学理论研究》2003年第1期。

43．何小玲：《工业化初期城市生态问题一瞥——重读恩格斯〈英国工人阶级状况〉有感》，载《理论视野》2014年第6期。

44．黄瑞祺、黄之栋：《恩格斯思想的生态轨迹》，载《鄱阳湖学刊》2010年第2期。

45．王文东、赵艳琴：《〈英国工人阶级状况〉中的空间生产与空间正义思想解读》，载《苏州大学学报》（哲学社会科学版）2016年第4期。

46．王欢：《恩格斯城市空间思想及其当代意义》，载《社会科学家》2016年第11期。

47．刘云衫：《〈英国工人阶级状况〉的空间批判思想及其当代价值》，载《哈尔滨师范大学社会科学学报》2009年第1期。

48．周文：《恩格斯〈英国工人阶级状况〉中的城市思想》，载《教学与研究》2016年第6期。

49．尹宣明：《恩格斯的〈政治经济学批判大纲〉对〈资本论〉创作的影响》，载《安徽大学学报》1985年第3期。

50．谈罗秋：《〈国民经济学批判大纲〉对马克思主义政治经济学形成的影响》，载《岳阳师专学报》1985年第1期。

51．张当：《马克思恩格斯早期学术思想关系探析——从〈国民经济学批判大纲〉出发》，载《湖南工业大学学报》（社会科版)2017年第1期。

52.许晶:《城市空间治理的价值理念探索——读恩格斯〈英国工人阶级状况〉》,《太原理工大学学报》(社会科学版)2017年第4期。